Psiconutrición

Psiconutrición

Mejora tu estado físico y emocional alimentándote saludablemente

William Vayda

Grupo Editorial Tomo, S.A. de C.V.,
Nicolás San Juan 1043,
03100, México, D.F.

1a. edición, octubre 2009.

© *Psycho-Nutrition*
William Vayda
Publicado en 2004 por Geddes & Grosset Ltd.
David Dale House, New Lanark, Scotland, ML11 9DJ

© 2009, Grupo Editorial Tomo, S.A. de C.V.
Nicolás San Juan 1043, Col. Del Valle. 03100, México, D.F.
Tels. 5575-6615 • 5575-8701 y 5575-0186
Fax. 5575-6695
http://www.grupotomo.com.mx
ISBN-13: 978-607-415-129-9
Miembro de la Cámara Nacional
de la Industria Editorial No. 2961

Traducción: Luigi Freda Eslava
Diseño de portada: Karla Silva
Formación tipográfica: Armando Hernández
Supervisor de producción: Leonardo Figueroa

Impreso en México - *Printed in Mexico*

Contenido

Reconocimientos

Mi gratitud es para tres de las mentes más brillantes en la psiquiatría. Los verdaderos pioneros, doctor Richard Mackarness, doctor Abraham Hoffer y doctor Bernard Rimland, quienes me han inspirado e informado. De ellos aprendí los principios unidos de la psiquiatría nutricional y la ecología clínica. También me gustaría agradecer a los muchos científicos y médicos australianos que han contribuido a mi conocimiento y experiencia y me han ayudado.

Sobre el autor

William Vayda, uno de los pioneros de Australia en medicina ortomolecular y psiquiatría, se especializa en medicina de la nutrición
y del medio ambiente. Se dedica principalmente al tratamiento de
la fatiga crónica, síndromes postvirales y trastornos de la inmuni-
dad, en especial síndromes alérgicos (asma, candidiasis, artritis) y
trastornos psiquiátricos relacionados con problemas de la nutrición.

Osteópata graduado, William Vayda se interesó primero en el
papel de la nutrición en la psiquiatría y obtuvo títulos de postgrado en nutrición y naturopatía, acupuntura e hipnoterapia clínica.

Se le nombró primer conferencista en fisiología y nutrición en
el Colegio de Sydney de Quiropráctica y Osteopatía en 1973 y más
adelante enseñó diagnóstico diferencial y nutrición clínica. El año
siguiente fundó el Instituto Australiano para Investigación Ortomolecular en Sydney.

A finales de la década de 1970, dirigió un programa de entrena-
miento para doctores en medicina y otros profesionales de la salud
y dirigió cursos especiales de postgrado en medicina de la nutrición y del medio ambiente, y en psiquiatría, con lo que produjo el
impulso a un enfoque complementario en la medicina en Australia.

Trabajando como médico clínico y de diagnóstico con un grupo de científicos progresivos y de mente abierta, llevó a cabo una

investigación extensa del papel de la nutrición en la enfermedad mental y el papel de las alergias y las sustancias químicas en los trastornos inmunológicos.

William Vayda es presidente del Colegio Internacional de Nutrición Aplicada (Australia) y miembro del Colegio Oceanía de Nutrición Clínica. Es miembro de la Asociación Internacional de Medicina Ortomolecular, la Sociedad de Australasia de Osteópatas, la Asociación de Medicina Complementaria, la Academia Internacional de Medicina Preventiva, la Academia de Psiquiatría Ortomolecular, el Instituto Huxley para Investigación Biosocial, la Academia de Ciencia de Nueva York y la Asociación Australiana de Terapeutas Naturales.

Ha impartido numerosas conferencias en universidades, escuelas médicas, diversas universidades naturopáticas y para el público en general. Es un escritor bien conocido y prolífico de populares columnas y artículos científicos. Tuvo una columna semanal de salud en el periódico *Sun* de Sydney por muchos años y fue editor de nutrición y ciencia de la revista *Nature and Health* por varios años. Ahora es editor colaborador de la revista *Wellbeing* y ha escrito varios libros de gran venta.

Introducción

Psiconutrición es el nombre popular que se da a la rama de la medicina que aborda la nutrición y sus efectos en la mente. Esta rama de la medicina, la psiquiatría ortomolecular, examina los efectos de sustancias químicas naturales, como vitaminas, minerales y aminoácidos, en la química del cerebro.

En la década de 1950, dos psiquiatras, el doctor Abraham Hoffer y su colega el doctor Osmond, descubrieron que ciertas personas mostraban signos de enfermedad mental si tenían deficiencia de vitamina B_3 (niacina) y que se podía ayudar en las enfermedades mentales de otras personas al administrar grandes cantidades de ciertos nutrientes que eran deficientes en su dieta o de los cuales estos individuos tenían requisitos inusualmente altos. Al usar terapia de la nutrición, ambos grupos mejoraron en forma considerable y muchos individuos se recuperaron por completo.

Aunque el tratamiento con niacina fue muy exitoso y mucho menos dañino que el régimen psiquiátrico estándar de la década de 1950 (terapia electroconvulsiva, choque insulínico y drogas psicoactivas), la comunidad científica ortodoxa fue lenta en reconocer estos hallazgos y todavía sigue siéndolo. Muchos grandes científicos, incluyendo el ganador del Premio Nobel, Linus Pauling (quien en 1968 escribió un artículo memorable titulado "Psiquiatría Ortomolecular" para *Science*), estaban buscando más vínculos entre la nutrición y las enfermedades mentales. En unos cuantos años se encontraron gran cantidad de vitaminas y varios minerales para ayudar al tratamiento de niacina y de esta manera la psiquiatría ortomolecular se ha convertido en una terapia compleja que se relaciona una gama extraordinaria de nutrientes.

Al mismo tiempo, otros trabajadores en el campo descubrieron que fluctuaciones en el azúcar en sangre (hipoglucemia), que podría ocurrir en forma independiente a la deficiencia de vitaminas, también podían ser capaces de causar diversos trastornos físicos y mentales que imitaban muchas de las enfermedades psiquiátricas. Muchos pacientes recuperaban la salud como resultado de comprender que la dieta, además de vitaminas y minerales, podían influir en la salud mental.

El doctor Richard Mackarness, psiquiatra del Hospital del Distrito de Basingstoke en Inglaterra, ha estudiado y aplicado los hallazgos del doctor Theodore Randolph, líder en el estudio de las alergias a pacientes con enfermedad mental. Después de un gran éxito con la terapia de nutrición, el doctor Mackarness escribió un libro llamado *No todo está en la mente* que se publicó por primera vez en Inglaterra en 1976. Por primera vez, la persona promedio, además de profesionales en el campo de la psiquiatría, podían leer una relación simple pero demoledora de métodos de diagnóstico y tratamiento que eran brillantes tanto en su simplicidad como su efectividad.

La psiquiatría y nuestra comprensión de la conducta humana y la bioquímica del cerebro dio un enorme salto adelante: aprendimos que mientras que las deficiencias de vitaminas o minerales, o las dependencias, todavía tenían un papel importante en la psiquiatría ortomolecular, no tenía sentido hacer pruebas de sangre para deficiencias de vitaminas o pruebas de tolerancia a la glucosa para hipoglucémicos cuando primero podíamos averiguar si eran hipersensitivos (alérgicos o intolerantes) a algunos alimentos, ciertas sustancias químicas o incluso a factores que viajan en el aire. Cualquiera de estas hipersensibilidades podrían "causar" desequilibrios y deficiencias de la nutrición al fomentar la mala absorción; de la misma manera podrían "causar" hipoglucemia al producir una tensión así en la capacidad del cuerpo para hacer frente a las situaciones, ¡que de cualquier forma harían caer los niveles de azúcar!

Más adelante descubrimos que un crecimiento excesivo de *Candida albicans* (candidiasis) también podría causar cualquiera de los factores anteriores o ser producto de ellos, y así, se volvió más y más obvio que teníamos que empezar por eliminar cualquiera que fuera el factor principal a la mano en el presente más que la causa subyacente. Por ejemplo, si la hipoglucemia estaba causando que alguien se pusiera tenso y esto se manifestaba como una alergia que permitía a los organismos de *Candida* crecer sin control, tenemos que empezar tratando el crecimiento excesivo de parásitos (o los síntomas que se presenten). Una vez que se han resuelto, entonces se deberían tratar las alergias o los problemas de azúcar en sangre. Si los problemas no mejoran, entonces se deberían buscar "causas" independientes.

Tal vez un legado de la medicina ortodoxa, algunas personas todavía tienen problemas para aceptar que es muy posible que un paciente psiquiátrico sufra una disfunción de la química del cerebro causada por una deficiencia de niacina mientras que también es hipoglucémico por la dieta… sin que los dos estén necesariamente relacionados en un espectro continuo de causa y efecto. Mientras que corregir la hipoglucemia con dieta causará que esté más sano, no se manejará el problema psiquiátrico hasta que se administre niacina complementaria. Por el otro lado, tratar el problema de vitaminas y la hipoglucemia además de las alergias o intolerancia a los alimentos podrían asegurar una buena salud mientras que el paciente está expuesto a mohos o polvo que viajan en el aire.

Un prometedor tratamiento nutricional, conocido como "terapia de precursores", se emplea en la actualidad de manera rutinaria por parte de todos los que tratamos candidiasis y problemas relacionados con levaduras. La terapia de precursores emplea aminoácidos puros que son los precursores de la mayoría, si no de todas las sustancias químicas del cerebro o neurotransmisores que controlan nuestro estado de ánimo. Por ejemplo, un paciente con alergias o una infección, como candidiasis, también puede padecer depresión. En tal caso, la administración de un aminoácido, como DL-fenilalanina, o tal vez L-tirosina, reducirá la depresión mientras se lleva a cabo el tratamiento para la otra condición. Esto es posible porque ambos aminoácidos son precursores de las sustancias químicas del cerebro que actúan en forma natural como antidepresivos.

Es la habilidad para mantener la mente abierta lo que caracteriza a muchos de los grandes científicos y es mi esperanza que este libro no sólo informe a gran cantidad de lectores sino que nos aliente a todos, incluyendo a la comunidad médica ortodoxa, a mantener la mente abierta y a buscar formas mejores, más simples y menos dañinas para ayudar a nuestros semejantes.

I

Memoria: cómo mejorarla y pensar con claridad

Si desea elevar al máximo sus funciones cerebrales, incluyendo la memoria, debería ser una gran idea comenzar aprendiendo algo sobre cómo funciona el cerebro.

Cómo funciona el cerebro

El cerebro humano es un globo irregular de tejido húmedo y como gelatina que contiene más de diez mil millones de células nerviosas llamadas "neuronas". Cada neurona tiene numerosas fibras como raíces con pequeños bulbos en los extremos. Cantidades diminutas de sustancias químicas salen explosivamente de estos bulbos y golpean las paredes de otras células cerebrales. Una vez que estas otras células están cargadas disparan sus propias sustancias químicas y esta actividad se repite millones de veces cada minuto de nuestra vida. Estas sustancias químicas se conocen como neurotransmisores.

Aprendizaje, memoria, estados de ánimo, sueño, apetito e impulso sexual, todos están controlados por neurotransmisores. De hecho, literalmente no podemos hacer un movimiento sin ellos ya que también controlan la coordinación de nuestros músculos.

También tenemos controladores para estos controles: más sustancias químicas. No estamos seguros qué son todas ellas, pero sabemos qué dieta influye en el tipo y en la cantidad de los neurotransmisores. Las vitaminas y los minerales están involucrados, de hecho son esenciales, en la producción de estas sustancias químicas del cerebro a partir de aminoácidos ordinarios extraídos de las proteínas en nuestra dieta diaria.

Existen alrededor de treinta neurotransmisores conocidos y tal vez muchos más que todavía no conocemos y todos ellos están hechos de aminoácidos. El alimento se descompone en aminoácidos individuales que entonces entran a las células del cerebro y se convierten en neurotransmisores en una serie de pasos bioquímicos que no pueden tener lugar sin la presencia de diversas vitaminas y minerales esenciales. Es por eso que es posible tratar problemas emocionales y psiquiátricos con dietas y nutrientes altamente individualizados, como vitaminas y aminoácidos.

Si alguien es alérgico, hipersensible o tiene intolerancia a algunos alimentos o a sustancias químicas que contienen, pueden causar que el cerebro reaccione desfavorablemente y, en consecuencia, causar un tipo de reacción de "alergia cerebral".

Poner a estos pacientes en una dieta que evite estos alimentos o sustancias químicas que cause sensibilización puede curar a menudo, o ayudar en gran medida, a su problema. Sin embargo, en muchos casos, el sólo cambiar una dieta de manera que incluya los aminoácidos apropiados para los neurotransmisores requeridos no funciona en forma satisfactoria. Es por eso que por lo general recetamos complementos de aminoácidos (terapia de precursores).

Las manipulaciones de la dieta no funcionan en forma satisfactoria ya que la mayoría de los alimentos contienen diversos aminoácidos y todos compiten por llegar al cerebro. Como sólo existe un número limitado de "asientos" en el camión que va de la sangre al cerebro (ver adelante "La barrera de la sangre al cerebro"), demasiados aminoácidos de un tipo impedirán a otros aminoácidos siquiera acercarse al camión.

Por ejemplo, el pavo contiene gran cantidad de triptofano (un aminoácido que el cerebro convierte en serotonina) que causa que duermas bien. Muchos alimentos similares contienen un exceso de aminoácidos "competidores" e ingerirlos será de poco beneficio si se ingieren a la hora de dormir para tratar el insomnio.

Sin embargo, si tomas algunos carbohidratos al mismo tiempo (digamos una cucharada de miel) esto ayudará a elevar el azúcar en sangre e inevitablemente causa la liberación de insulina que tiene el efecto poco común de retirar varios aminoácidos de la sangre hacia el hígado. No obstante, la insulina no afecta el triptofano, de manera que ahora este aminoácido tiene todo el camión al cerebro para sí y es muy probable que entonces duermas bien.

Precursores

Los precursores son sustancias, en este caso un aminoácido de la dieta o de un complemento, con el que el cerebro hace un neurotransmisor. A continuación está una lista corta de algunos aminoácidos y los principales neurotransmisores se derivan de ellos.

Fuente o Precursor	Neurotransmisor
colina o serina	acetilcolina
histidina	histamina
tirosina	epinefrina, norepinefrina
fenilalanina	tirosina, dopamina, norepinefrina
triptofano	serotonina
ácido glutámico	glutamina o ácido gamma aminobutírico
lisina	citrulina, ácido pipecólico

Como puedes ver, no es suficiente saber qué comer. También debes saber cuándo comer y cómo combinar tu alimento si deseas influir en la química del cerebro mediante la dieta. Esto, por supuesto, es algo que todos hacemos todos los días sin siquiera darnos cuenta.

La respuesta no es sólo tomar aminoácidos (como complementos) ya que no siempre funcionarán y, en algunos casos, pueden empeorar la situación. La clave es tomar sólo los complementos que son necesarios para individuos particulares dependiendo de sus circunstancias específicas. Esto se aplica casi a toda dieta, píldora o poción, pero en especial a lo que sea que pueda actuar en tu cerebro.

Todos somos únicos en el aspecto bioquímico y lo que puede hacer que una persona duerma, podría mantener despierta a otra toda la noche. Esto, por ejemplo, puede suceder con el triptofano si bebes mucho.

La barrera de la sangre y el cerebro (barrera hematoencefálica)

En comparación con otras células, las neuronas son particularmente frágiles. Sus funciones pueden trastornarse mediante una lista increíblemente larga de sustancias tóxicas y moléculas "naturales, como aminoácidos, que están normalmente presentes en la sangre, pero que se mantienen alejadas de la circulación privada del cerebro.

Por ejemplo, el ácido fólico, un nutriente considerado como vitamina, es esencial para la buena salud del cuerpo. Sin embargo, lo común es que se permita pasar a muy poco ácido fólico del torrente sanguíneo a la circulación del cerebro. Cuando entra demasiado ácido fólico al cerebro, puede causar convulsiones y, de hecho, un grupo de medicamentos que se emplean para el tratamiento de la epilepsia actúan precisamente como antifolatos.

Una barrera compleja ha evolucionado en el cerebro humano para mantenerlo aislado de la circulación general. Este sistema de filtración selectiva, conocido como barrera hematoencefálica, por lo general permite que sólo penetren oxígeno, glucosa y unos cuantos nutrientes selectos. Mientras que el conocimiento de cómo funciona la barrera hematoencefálica es invaluable para elaborar medicamentos que actúen en complejos de neuronas específicos, es igual de importante decidir qué nutriente puede tener un papel en alterar las funciones cerebrales.

Los psicobiólogos han descubierto que los efectos conductuales de muchas drogas, neurotoxinas y moléculas "extrañas" tienen lugar precisamente por su capacidad para trastornar o modificar la transmisión química ordenada entre las neuronas. También sabemos que las "enfermedades mentales" pueden ser causadas por neurotransmisores excesivos, insuficientes, en desequilibrio o defectuosos. Y prácticamente todos estos neurotransmisores están hechos con constituyentes comunes de los alimentos que ingerimos todos los días.

Nutrientes para el cerebro

A pesar de su tamaño relativamente pequeño, el cerebro humano consume más energía que cualquier otro órgano. Aunque representa sólo 2 por ciento del peso total del cuerpo, el cerebro emplea 20 por ciento del oxígeno total en reposo del cuerpo.

Todos saben que el cerebro no puede funcionar sin oxígeno y que se produce daño cerebral incluso después de un periodo corto sin él. Sin embargo, lo que se debe entender es la razón subyacente de por qué el oxígeno es vital para la función cerebral. El oxígeno es necesario para que se pueda emplear la glucosa que es la fuente primaria de toda la energía del cerebro. Si se interrumpe el flujo de sangre oxigenada al cerebro, un individuo perderá la conciencia en menos de 10 minutos. Un poco más puede causar daño cerebral permanente. También vale la pena saber que se pueden causar efectos similares con cualquier problema que reduzca la concentración de azúcar en sangre (lo cual se discute en "Hipoglucemia" en la pág. 54).

En consecuencia, un requisito para el poder cerebral óptimo es un buen suministro de oxígeno que la sangre transporta al cerebro. Un buen flujo sanguíneo es crítico si vamos a emplear el cerebro en forma eficiente.

Abrazos y poder cerebral

Inteligencia, poder cerebral, memoria y casi todas las actividades que el cerebro desempeña dependen en su mayor parte de la formación de nuevas conexiones. Además, se destruye y rehace el contenido de proteínas de cada célula.

Esta actividad de construcción depende en su mayor parte de la estimulación de las fibras nerviosas (lo que se recibe es igual a potencial de acción) que tiene lugar siempre que nuestro sistema nervioso central está ocupado.

Incluso sólo tocar, acariciar o abrazar a un niño puede tener un enorme impacto en su potencial de inteligencia futura. Los bebés privados del contacto físico tienen menos conexiones de neuronas y pueden quedar con atrofia mental o física.

De hecho, existe un síndrome bien documentado llamado "enanismo por privación" causado por la falta de impulsos sensorios de entrada en un infante. "Si no lo usas, lo perderás" es un viejo adagio que se aplica por igual al poder del cerebro que a la libido, la memoria y la fuerza muscular.

Existen muchas formas de mejorar tu circulación: hacer ejercicio con regularidad y posiciones especiales de yoga pueden influir en ella, un buen masaje con manos expertas puede mejorar tu circulación, las manipulaciones quiroprácticas pueden liberar un suministro de sangre que estaba restringido al cerebro mediante corregir sub-luxaciones de columna y de cuello, y todos los acupunturistas de confianza saben de ciertos puntos que ayudan al cuerpo a mantener un flujo de sangre saludable. Además de los métodos físicos de aumentar la circulación, existen varios nutrientes que también puede tener un papel, como vitamina E, vitamina B_3 (niacina) y ginseng.

Como los suministros de azúcar en sangre son tan críticos para las funciones del cerebro, deberías asegurarte de no permitir que la concentración de glucosa en el cerebro caiga demasiado o que caiga con gran rapidez. Una condición conocida como hipoglucemia (baja concentración de azúcar en sangre) puede causar problemas a cualquiera que trate de pensar con claridad. Dos de las causas más comunes de hipoglucemia son alergias o intolerancias a los alimentos de las que no se sospecha y candidiasis (sistémica). Otro síndrome que a menudo aparece al mismo tiempo que la concentración baja de azúcar, y que puede ser su causa o uno de sus efectos, es hipoadrenocorticismo o agotamiento de las glándulas suprarrenales.

La nutrición tiene un papel central en el tratamiento de todas estas condiciones y por lo tanto, las sustancias químicas que el cerebro emplea para hacer sus alimentos especiales, y que se pueden obtener con facilidad en tu dieta, son un buen lugar para empezar a buscar formas de mejorar tu cerebro. Sigue una dieta bien balanceada con una cantidad razonable de proteínas, algunos carbohidratos complejos, sin azúcares refinados ni dulces y bocadillos frecuentes en lugar de pocas comidas abundantes.

Los dos bancos de memoria

Se ha propuesto que la memoria se almacena en dos partes diferentes del cerebro: una que registra sucesos por un periodo relativamente corto (conocida como banco de memoria a corto plazo) y una memoria a largo plazo a la que se transfieren sucesos del primer banco. A menos que la información se transfiera de la memoria de corto plazo a la de largo plazo en un periodo especificado, se pierde para siempre.

A finales de la década de 1940, Donald Hebb, psicólogo de la universidad McGill en Montreal, propuso que cuando las neuronas reciben estimulación repetida de células nerviosas se vuelven más y más sensibles a las señales con el resultado de que la información se acaba por codificar en la memoria más permanente. Todos sabemos que mediante repetir la información, digamos un número telefónico, es más probable que la recordemos. En la actualidad todavía no sabemos cómo recuerda el cerebro, ni siquiera dónde se almacenan las memorias, pero las teorías de Hebb siguen siendo la mejor explicación que tenemos.

Existen varios factores que pueden interferir con la memoria. Se sabe que varias drogas de uso común afectan la memoria desfavorablemente. Se puede emplear el lorazepán, un tranquilizante, para ayudar a la gente a olvidar experiencias desagradables. La ovobaina, una droga del tipo digitalis empleada en el tratamiento de la enfermedad cardiaca, interfiere con los impulsos eléctricos del cerebro que son necesarios para el almacenamiento de la memoria y también podrían inhibir la síntesis de las proteínas con que se piensa que se codifican los recuerdos. Cualquiera que sea la razón, se ha mostrado que otra droga, un antibiótico llamado puromicina, borra la memoria a largo plazo y su modo de acción es bloquear la síntesis de proteínas.

EL HIPOCAMPO

Para 1973, Tim Bliss, del Instituto Nacional de Investigación Médica en Londres, y Terje Lomo, del Instituto de Neurofisiología en la Universidad de Oslo en Noruega, redujeron su búsqueda de la memoria a una parte del cerebro llamada hipocampo. Se cree que esta pequeña estructura es esencial para la memoria.

Con seguridad sabemos que incluso los vertebrados inferiores pueden aprender siempre que tengan un hipocampo y que los invertebrados, que no tienen hipocampo, no pueden aprender. Los científicos han demostrado que la estimulación eléctrica repetida en periodos largos de las neuronas del hipocampo causa que las células cerebrales sean más sensibles a la estimulación.

A menudo se puede ver que los cerebros de las personas que sufren de daño inducido por el alcohol tienen deterioro de la función del hipocampo y, de acuerdo a varios científicos ortomoleculares, las deficiencias de zinc pueden volver ineficiente esta porción del cerebro.

Aún está por verse si ingerir complementos de zinc puede aumentar la memoria. Sin embargo, ya sabemos que el zinc (que reduce la concentración de cobre en el cerebro, el cual excita las células nerviosas) puede producir cierta medida de relajación mental, reducir la acumulación de plomo y mejorar las condiciones de algunos esquizofrénicos y alcohólicos.

Podría parecer que cualquier droga que afecte el sistema nervioso central, sea tranquilizante, narcótico, sedante, analgésico o antipsicótico, tiene el potencial para influir en la memoria humana desfavorablemente.

Serotonina y triptofano

La serotonina se asocia con el sueño, los estados de ánimo y la percepción. Muy poca serotonina puede causar insomnio, depresión y dificultades con la regulación de la temperatura. Demasiada puede relacionarse con envejecimiento prematuro, psicosis, insomnio y conducta agresiva. Aunque no se ha encontrado conexión directa entre la serotonina y la memoria hasta el momento, es interesante notar que la gente que encuentra difícil quedarse dormida suele tener deficiencia de esta sustancia química y lo puede ayudar. Las pastillas para dormir, aunque útiles, no fomentan un sueño profundo, relajante y de movimiento rápido de ojos (REM).

De acuerdo al doctor James McConnell, profesor de Psicología en la universidad de Michigan, el sueño REM, que se asocia con soñar, bien podría ser la clave para el almacenamiento de la memoria a largo plazo. Dice que: "soñar podría ser lo que sucede cuando las nuevas moléculas de la memoria salen de donde han estado almacenadas durante el día. Esto activa viejos recuerdos, que es lo que experimentamos como sueños. Es por eso que los sueños parecen relacionarse con lo que sucedió durante el día. Otros descubrimientos indican que si impides el sueño REM no tienes recuerdos".

La síntesis de serotonina requiere considerables cantidades de vitamina B_6 (piridoxina) y es interesante notar que una deficiencia de esta vitamina puede asociarse con la falta de sueños mientras que la serotonina aumenta las porciones REM de nuestro sueño. (Para una lista de alimentos ricos en vitamina B_6 ver la página 27.)

El cerebro hace serotonina de un aminoácido común llamado triptofano, que sólo puede entrar al cerebro por un mecanismo conocido como transporte activo. Sin embargo, comparte este modo de entrada con varios otros aminoácidos, de manera que tomar triptofano puede no aumentar la concentración de serotonina a menos que también se mantenga bajo el número de aminoácidos competidores.

Dos formas de fortalecer el transporte de triptofano a través de la barrera del cerebro son ayunar (el triptofano se debe tomar siempre lo más lejos posible de las horas de comida) o ingiriendo algunos carbohidratos. Los carbohidratos tienden a causar que el páncreas secrete insulina que, a su vez, agota en la corriente sanguínea precisamente los aminoácidos que compiten con el triptofano por el transporte a través de la barrera hematoencefálica.

Aunque manipular la concentración de triptofano y serotonina puede ser útil en diversos problemas, puede parecer que empeora la memoria, en todo caso, al aumentar la ingestión de triptofano en la dieta (*New Scientist*, octubre de 1983, pág. 47). Tal vez suceda esto porque el incremento del nivel de la serotonina en el cerebro, que sigue a la ingestión de triptofano, causa que las células del cerebro estén más "adormiladas".

Mientras que el aumento de la concentración de serotonina en el cerebro puede ayudar a algunas personas a dormir, demasiado puede hacer que no puedan descansar y que se vuelvan agresivas y sufran alucinaciones. También se ha asociado la concentración excesiva de serotonina con envejecimiento prematuro y daño al feto. Por otro lado, una deficiencia en serotonina puede causar depresión, insomnio e incluso trastornos psiquiátricos.

Pensamiento rápido: ácido glutámico

El pensamiento rápido y la memoria van de la mano y esto requiere comunicación veloz entre las células cerebrales. El indicador más importante en el cerebro humano parece ser un aminoácido simple, el ácido glutámico.

Esta sustancia química actúa en prácticamente todas las células del cerebro para causar una excitación rápida y, de hecho, pare-

Alimentos que contienen triptofano

alfalfa	frijol de soya
apio	frijoles en salsa de jitomate
berro	hinojo
betabel	huevo
brócoli	leche
camote	nabo
carne	nueces
cebolletas	pavo
coles de Bruselas	pescado
coliflor	pollo
escarola	queso cottage
espinaca	zanahoria

ce ser la señal de "encendido" más común empleada por los nervios sensorios que entran al cerebro. Este hecho solo podría convertirlo en el neurotransmisor más importante para codificar

RIMAS PARA LA MEMORIA

Se han conocido por miles de años ejercicios para mejorar la memoria, conocidos cómo nemotecnia. Los antiguos chinos solían emplear poemas con rima de largas listas de nombres con el fin de ayudarse a recordar.

Los psicobiólogos creen que el cerebro sólo puede marcar siete artículos separados o "trozos" de información en el pizarrón de la memoria a corto plazo en cualquier momento.

Las más probables de pasar a nuestro banco de memoria permanente son las que crean imágenes visuales vívidas o que tienen una conexión con algo particularmente crucial en nuestras vidas.

Es de lo que se tratan los ejercicios nemotécnicos: una forma de hacer información que en otros sentidos es aburrida en algo que tiene significado y es interesante. Una cadena de letras como GTR se recordará con más facilidad si los asociamos con la palabra GOTERO y hacer una imagen visual de él.

la información, es decir, la memoria, y muy bien podría ser una de las razones de que tantos investigadores afirmen que el ácido glutámico parece "aclarar" la cabeza y fortalecer funciones como pensar y recordar.

Se sabe que otro aminoácido, la glicina, es un transmisor inhibitorio de la médula espinal pero el efecto inhibidor mejor conocido en el cerebro bien podría ser el ejercido por el ácido gamma aminobutírico (GABA). Tener un auto rápido con un acelerador que responde no te llevará lejos si no puedes bajar la velocidad cuando lo necesitas, así que los neurotransmisores inhibidores tienen un papel central en las funciones del cerebro y al menos un efecto poderoso aunque indirecto en la memoria.

Alrededor de la tercera parte de todas las células nerviosas en el cerebro envían señales inhibidoras en lugar de señales de aceleración y la sustancia química que emplean está muy relacionada con el ácido glutámico; de hecho, estos dos están entre los más comunes dentro del cerebro y de la médula espinal.

Vitamina B$_6$: demasiado en relación con muy poco

El GABA se fabrica exclusivamente en el cerebro y la médula espinal a partir de ácido glutámico y depende en gran medida de amplios abastecimientos de vitamina B$_6$ (piridoxina).

El ácido glutámico, con el que el cerebro hace GABA, excita, mientras que el GABA mismo inhibe. En un estado deficiente de vitamina B, el ácido glutámico puede alcanzar concentraciones excesivas, causando tal vez irritabilidad del sistema nervioso central. La ingestión adicional de vitamina B$_6$ podría aumentar el efecto sedante del GABA al permitir que se sintetice más de él y al reducir el ácido glutámico acumulado.

Al mismo tiempo, un exceso de vitamina B$_6$ puede agotar las reservas de ácido glutámico hasta el punto en que se deteriore la excitación apropiada y de ahí, las funciones perceptivas del sistema nervioso.

Esto también podría explicar la correlación observada entre soñar y la condición de la vitamina B$_6$. Esta correlación es uno de los métodos de diagnóstico que más se emplean para una valoración naturopática de la concentración de vitamina B_6 en los pacientes. Su papel en la función de la memoria es periférica en el mejor de los casos pero no poderse relajar mentalmente podría influir en nuestra capacidad para memorizar hechos, por ejemplo, durante un periodo de estudios fuertes para exámenes.

El ácido glutámico, como la mayoría de los aminoácidos, no cruza la barrera hematoencefálica con facilidad así que comer más alimentos ricos en ácido glutámico, o incluso tomarlo como complemento, tendrá poco efecto. Por fortuna, el cerebro puede hacer su propio ácido glutámico de sustancias que se encuentran normalmente en la dieta. Si la dieta es baja en estas sustancias, entonces puede ocurrir un deterioro de la función del cerebro.

Alimentos ricos en vitamina B_6 (piridoxina)

aguacate	leche
arroz	leche de vaca
cacahuates	lentejas
cangrejo	levadura (de cerveza)
carne (de res, jamón, puerco)	melaza
cebada	naranjas
chícharos	nuez de Brasil
ciruela pasa	papas
espinacas	pescado (bacalao, lenguado,
frijol	arenque, macarela, salmón,
frijol de soya	sardinas, atún)
frijoles	queso
germen de trigo	salvado de trigo
harina integral	semillas de girasol
hígado (de puerco)	zanahoria
huevo	

El cerebro puede emplear el ácido glutámico como combustible si la concentración de azúcar en la sangre es muy baja. También puede tomar y eliminar el exceso de amonio que tiende a acumularse durante la actividad cerebral. Con seguridad sabemos que la concentración de ácido glutámico se eleva en forma notoria durante los ataques epilépticos y el amonio también se asocia con el envejecimiento de manera que su eliminación rápida podría ayudar a mantener el cerebro más joven y, en consecuencia, más capaz.

El ácido glutámico tiene al menos otras dos funciones importantes. También ayuda a reducir el deseo vehemente de alcohol y tiene un papel importante en mantener la eficiencia de nuestro sistema inmune.

La única forma práctica de aumentar la función del cerebro con ácido glutámico es tomándolo en la forma de L-glutamina, que es un compuesto que puede cruzar al cerebro y convertirse en ácido glutámico como se necesita. También se ha informado que la L-glutamina aumenta el IQ de pacientes con retardo mental.

Un caso de funciones mentales y memoria deficientes

Peter es abogado y cuando lo vi por primera vez se quejó que su eficiencia en el trabajo había disminuido drásticamente en los últimos meses.

"No parece que me pueda concentrar tan bien como solía y mi memoria simplemente desaparece cuando más la necesito", se quejó, "al principio lo achaqué a la tensión, el exceso de trabajo... todo eso. Me fui de vacaciones y descansé bien. Por supuesto, me sentí mucho mejor, pero mi cerebro de todas maneras se negaba a trabajar".

Le pregunté a Peter si experimentaba sus dificultades todo el día o sólo en momentos particulares del día.

"En la mañana, cuando voy a trabajar, no estoy en mi mejor momento y para la hora del almuerzo no puedo pensar correctamente. Me siento un poco mejor después del almuerzo pero para las 4:00 p. m. mi concentración ha desaparecido".

Le expliqué a Peter que la razón más probable de su problema era que en ciertos momentos su concentración de azúcar en sangre podía bajar demasiado. A este trastorno se le llama hipoglucemia y funciona de la siguiente manera. Parte del alimento que ingerimos se convierte en azúcar en sangre. Si el alimento contiene mucha azúcar o consiste en carbohidratos refinados, como pastas o pan blanco, entonces tiende a inundar la corriente sanguínea con azúcar demasiado rápido. El cuerpo responde a esto enviando señales que causan que salgan hormonas, como la insulina, en un esfuerzo por reducir el nivel elevado de azúcar en sangre. Por lo tanto, entre más rápido y mayor sea la elevación del azúcar en sangre, mayor la respuesta de la insulina. Y entonces, la concentración de azúcar en sangre baja mucho con rapidez, impidiendo que el cerebro funcione con eficacia. Esta reacción se puede evitar reduciendo el azúcar y los carbohidratos refinados de la dieta, e ingiriendo bocadillos pequeños y frecuentes. También existen algunos complementos que pueden aumentar el poder del cerebro.

Receté algo de L-glutamina, fenilalanina, tirosina, gingko, vitamina B_{12} y vitamina B_6; todos los factores de nutrición tienen que ver con la formación de las sustancias químicas del cerebro conocidas como neurotransmisores. Las "sustancias químicas para pensar".

También le recomendé a Peter que probara varios tipos diferentes de alimentos para el desayuno y el almuerzo para ver cuáles mejoraban su poder mental. Le expliqué a Peter que algunos de nosotros somos oxidantes rápidos y otros son lentos: en otras palabras, algunas personas "queman" calorías con rapidez, mientras que otros no. En consecuencia, no es poco común encontrar personas que funcionan bien con un desayuno de huevos, mantequilla y pan integral pero que no pueden obtener energía, mental o de otro tipo, de cereales para desayunar. Al mismo tiempo, muchos individuos encuentran que si comen algo que no sean carbohidratos en la mañana, tan sólo se sienten atorados y cansados. Les va bien con cereales para desayunar, leche descremada, un poco de mermelada en su pan tostado y una taza de café.

Peter siguió mi consejo y, para su sorpresa, encontró que si comía un huevo tibio para desayunar y tomaba sus complementos, su cerebro podía trabajar al máximo en cuanto llegaba a su escritorio en el trabajo. Cuando volvió a cambiar a carbohidratos, volvieron los antiguos síntomas en unos cuantos días, aunque con menos severidad gracias a los complementos. Además, la tirosina aumentaba su capacidad para hacer frente a la tensión y encontró que la fenilalanina reducía su deseo vehemente de dulces.

Peter ha aprendido una importante lección sobre nutrición: todos somos bioquímicamente diferentes y aunque las recomendaciones generales pueden ser benéficas para la mayoría de las personas, como comer menos grasa, menos azúcar y más fibra, siempre debemos tratar de encontrar lo que es mejor para cada uno de nosotros en lugar de seguir las generalizaciones.

Memoria y acetilcolina

La acetilcolina es una sustancia química que se secreta en las terminaciones de muchas de las fibras nerviosas y es responsable de transmitir impulsos nerviosos. Se dice que la concentración de acetilcolina en el cerebro se correlaciona con las funciones de la memoria. Ciertas enfermedades, como la de Alzheimer, que producen pérdida de la memoria, se asocian con una disminución de la concentración de la acetilcolina y sabemos que las drogas que bloquean la acción de la acetilcolina en el cerebro causan pérdida temporal de la función de la memoria.

Por desgracia, añadir un complemento de colina (por lo general en forma de lecitina), que es la forma de aminoácido de la que el cerebro hace la acetilcolina, para ayudar a mejorar la memoria, no ha podido producir resultados consistentes. Sin embargo, esto podría deberse al hecho de que la vitamina B_5 (ácido pantoténico) y la vitamina B_1 (tiamina) son necesarios para convertir y emplear la colina como acetilcolina. Bien podría ser que si estos nutrientes se administraran en las cantidades correctas, junto con lecitina o colina, pudiera ocurrir un fortalecimiento de la memoria.

Otra forma de aumentar la concentración en el cerebro de acetilcolina, y un método que ha demostrado ser efectivo en fomentar una buena memoria, es un compuesto natural llamado deanol, presentado por el doctor Carl Pfeiffer a finales de la década de 1950. El deanol es una forma de colina y parece cruzar la barrera hematoencefálica con mucha facilidad. También se puede encontrar como DMAE (dimetil-aminoetanol). Se ha empleado exitosamente para tratar deterioro de la memoria en personas de edad avanzada y niños hiperactivos. También puede ser útil en el tratamiento de depresión, apatía y senilidad.

Además de aumentar la concentración de acetilcolina, el DMAE también ayuda a que el cuerpo se deshaga de lipofucina, que son los pigmentos del envejecimiento que aparecen como manchas oscuras en la piel de personas viejas y también se pueden encontrar en el cerebro de personas que sufren de senilidad.

Alimentos ricos en colina

cacahuates	guisantes secos
carne de res	hígado (res, puerco)
ejotes	leche
frijol de soya	lentejas
garbanzo	yema de huevo
germinados de frijol	

Alimentos ricos en vitamina B$_5$ (ácido pantoténico)

abadejo	hongos
aguacate	huevo
almejas	langosta
cacahuates	lentejas
cangrejo	macarela
carne de res	piña
frijol de soya	pollo
germen de trigo	salmón
germinados de frijol	sandía
hígado (res, puerco)	sardinas

Alimentos ricos en vitamina B$_1$ (tiamina)

avena
aves de corral
calabaza
carne de puerco (hígado)
carne de res (corazón, hígado,
riñón)
cereales
chícharos y otras legumbres
cordero

frijol de soya
germen de trigo
leche
levadura (de cerveza)
nuez de Brasil
pescado (macarela, perca,
huachinango)
semillas de girasol
trigo

Aprendizaje y RNA

El ácido ribonucleico (RNA), una estructura básica del plano para la vida, parece ser esencial para el proceso de aprendizaje. De hecho, varios supuestos fortalecedores de la memoria, como el ácido orótico, se convierten en RNA. El ácido orótico es una sustancia que se encuentra en la leche. El orotato combinado con minerales como magnesio, potasio o calcio se encuentra como complementos en tiendas naturistas. Se requieren dosis elevadas de RNA para producir el fortalecimiento de la memoria pero existe la ventaja adicional de que el RNA ayuda a la protección de las células de los agentes oxidantes que causan envejecimiento celular. Por desgracia, el RNA tiene algunos inconvenientes:

• Su acidez puede causar malestares estomacales.
• El metabolismo del RNA produce grandes cantidades de ácido úrico que puede causar o agravar la gota y también se precipita como cristales que se pueden depositar en las articulaciones y los riñones.

Comprar fortalecedores de la memoria es como comprar cualquier otro producto: entérate de los hechos o despilfarrarás dinero. Algunas tiendas naturistas tienen RNA pero a menos que un producto contenga más de 12 por ciento lo probable es que sólo sea levadura. La levadura contiene alrededor de 6 por ciento de RNA, pero es difícil que algo de él esté disponible para el cuerpo ya que se encuentra detrás de paredes celulares que no podemos fragmentar. Por supuesto, el cuerpo hace RNA y una forma de estimular la síntesis de RNA es tomar vitamina B_{12}.

La conexión de la adrenalina y los fortalecedores de la memoria

La norepinefrina, una sustancia química afín a la adrenalina (epinefrina), es otro neurotransmisor que tiene un papel importante en el estado de ánimo y la conducta y que podría estar asociado con la memoria. Su síntesis empieza con el aminoácido tirosina que se convierte en dopamina. Cantidades excesivas de dopamina, que es un neurotransmisor por derecho propio, se asocian con esquizofrenia.

Sabemos que las anfetaminas pueden causar psicosis y también sabemos que las anfetaminas son iniciadores de la liberación de dopamina en el cerebro. De hecho, algunas de las drogas antipsicóticas más exitosas trabajan uniéndose a los receptores de dopamina en el cerebro y, en consecuencia, impedir su activación por parte del transmisor. Se dice que la vitamina C (ácido ascórbico) y la vitamina B_3 (niacinamida) tienen el mismo efecto.

La principal enzima de la dopamina, la dopamina beta hidoxilasa, es dependiente a calcio y vitamina C, lo que tal vez explique los efectos tranquilizadores observados de estos nutrientes. La dopamina al final se convierte en norepinefrina, la cual también tiene un papel muy importante en el control de la conducta y el estado de ánimo de los humanos. Los niveles bajos de norepinefrina están muy asociados con depresión e incapacidad para pensar con claridad.

POR QUÉ EL CAFÉ ES UN ESTIMULANTE

Casi todas las personas saben que la cafeína y la teofilina (ingredientes activos del café y el té) pueden ayudarlas a "despertar". El café es una sustancia "natural" que pertenece a un grupo químico conocido como metilxantinas.

Las metilxantinas inhiben la enzima (fosfodiesterasa) que destruye el monofosfato de adenosina cíclico (cAMP), el principal activador de la mayoría, o incluso todos, los neurotransmisores del cerebro. Así que todo lo que tienda a reducir la concentración de fosfodiesterasa aumentará la actividad de los neurotransmisores y es exactamente lo que hace la cafeína.

La vitamina C (ácido ascórbico) actúa de la misma forma: inhibe la fosfodiesterasa y aumenta la concentración de cAMP en el cerebro. Si no fuera por el hecho de que una taza de vitamina C también puede causar diarrea, podríamos emplearla como sustituto para nuestro café matutino.

A pesar de esto, la mayoría de los psiquiatras ortodoxos continúan diciendo que la cafeína estimula el cerebro pero niegan que la vitamina C tenga cualquier tipo de efecto, excepto prevenir el escorbuto. Así que si te gusta el café o una taza de vitamina C, puedes tener la seguridad de que ayudará a tu cerebro a funcionar un poco mejor... al menos por un tiempo.

Adrenalina

La adrenalina (epinefrina) es la contraparte de las glándulas suprarrenales de la norepinefrina del cerebro y es uno de los fortalecedores de la memoria más significativos que fabrica nuestro cuerpo.

La gente aprende mejor cuando está motivada, alerta y estimulada. Durante la Segunda Guerra Mundial, los pilotos alemanes podían volar sin detenerse durante la noche de Alemania a Inglaterra. No era una hazaña menor en esos días y exigía poderes sobrehumanos de concentración. Se descubrió que un piloto de la Luftwaffe capturado se había inyectado un extracto de una sustancia química que se sabe estimula las glándulas suprarrenales (que controlan en gran medida lo alerta que estamos).

Los centros de investigación de Estados Unidos trabajaron para reproducir esta sustancia, la hormona adrenocorticotrópica (ACTH), que estimula la producción y liberación de esteroides naturales. También quedó claro que cuando las glándulas suprarrenales producen epinefrina (adrenalina), se fortalecen las habilidades nemotécnicas en forma significativa.

A finales de la década de 1970, una brillante serie de experimentos de James McGaugh, profesor de psicobiología en la Universidad de California, mostró con claridad que la habilidad del cerebro para memorizar puede verse influida por drogas que afectan los niveles de epinefrina (adrenalina) y norepinefrina (noradrenalina).

Alimentos que contienen fenilalanina

aguacate
almendras
betabel
cacahuates
carne de res
chocolate
espinaca
frijol de soya
frijoles en salsa de jitomate
huevo
jitomate

leche
manzana
perejil
pescado (arenque)
piña
plátano
pollo
proteínas de soya
queso cottage
zanahoria

Alimentos que contienen tirosina

aguacate
alfalfa
almendras
aves de corral
berro
betabel
cacahuates

carne
cerezas
chabacano
chocolate
espárragos
espinacas
fresas

frijol de soya	pimiento
frijoles en salsa de jitomate	plátano
higo	pollo
huevo	proteínas de soya
leche	puerro
lechuga	queso
manzana	queso cottage
pepino	sandía
perejil	yogurt
pescado (arenque)	zanahoria

Aunque sólo se encuentran pequeñas cantidades de estas sustancias químicas en el cerebro, parecer ser que las grandes cantidades secretadas por las suprarrenales durante un estado de excitación son el factor primario en la memoria. Como las secreciones suprarrenales son las respuestas primarias del cuerpo a los estímulos de tensión, parecería que las emociones fuertes actúan, más o menos, como fluido de embalsamamiento para las memorias. Es casi como si un suceso no se volviera parte de nuestra experiencia conciente a menos que las hormonas suprarrenales griten: "¡Imprímelo!" Si las emociones y las sustancias químicas son la "tinta" de la memoria, entonces los circuitos complejos de células nerviosas y su enorme cantidad de conexiones son el "papel" en que se registran los sucesos.

ALIMENTOS CON LOS CUALES PENSAR

Siempre se han asociado alimentos, drogas y varias bebidas con la creatividad, de una u otra forma.

El alcohol y las bebidas fermentadas han tenido un papel prominente en el proceso creativo para escritores, en particular Hemingway, Faulkner y Fitzgerald, los cuales empleaban mucho el alcohol para fortalecer su estado de ánimo creativo.

Faulkner una vez dijo que no podía ni siquiera empezar a escribir sin una botella de wiskey escocés cerca, mientras que el famoso matemático Poincaré encontró que el café era esencial para su obra y Housman, el poeta inglés, encontró que cerveza y té eran esenciales para su trabajo.

El chocolate también puede ser un poderoso estimulante, tal vez porque el cerebro emplea una de sus sustancias químicas, feniletilalanina, para formar norepinefrina.

Se dice que una sustancia química poco común llamada tujona, que está relacionada con la nuez moscada, ejerce un poderoso efecto estimulante en el cerebro. Un componente del ajenjo, esta sustancia química, se añade en pequeñas cantidades al vermouth y es un componente importante del aceite de hoja de cedro.

Sin importar lo que podrías necesitar para pensar mejor, algo parece claro: las comidas abundantes hacen que pensar sea más difícil mientras que ayunar ayuda al proceso creativo.

La fenilalanina es un precursor, o fuente, de norepinefrina y este aminoácido puede encontrarse en carne, queso y chocolate. También se encuentra como complemento de aminoácidos y es un excelente analgésico, antidepresivo y fortalecedor de la memoria natural. Sus únicas desventajas son que es muy costoso y puede elevar la presión sanguínea en personas sensibles. Cuando se emplea en forma adecuada, tal vez sea el mejor antidepresivo natural en la actualidad.

La tirosina es otro aminoácido que produce norepinefrina. La concentración de tirosina en el cerebro depende de las concentraciones en la dieta de tirosina, vitamina B_{12} y magnesio.

Los neuropéptidos

El descubrimiento de moduladores de la señal química, los neuropéptidos (pequeños fragmentos de proteína), ha causado una oleada de actividad entre los neurobiólogos mientras tratan de aclarar su papel en las funciones del cerebro. En esta etapa, los neuropéptidos parecen tener un papel doble. Son capaces de activar complejas respuestas conductuales cuando se aplican al cerebro y en muchas otras partes del cuerpo actúan como hormonas o reguladores locales.

La vasopresina, un neuropéptido y hormona antidiurética producida por la glándula pituitaria, pueden mejorar la memoria cuando se aplica al cerebro. Se ha informado que una forma sintética de vasopresina encontrada en rociadores nasales restaura la memoria a pacientes de amnesia y mejora la concentración ("Alimentos para la Mente", *Omni*, enero de 1983, pág. 40).

En este momento, no está claro el significado biológico de emplear la misma sustancia química para propósitos al parecer muy diferentes pero es un campo que promete muchas sorpresas.

Aumentar tu poder cerebral

Muchos científicos de la nutrición han encontrado que algunas vitaminas fortalecen la función del cerebro. A menudo he visto que tiene lugar una mejoría en la habilidad mental como resultado del tratamiento que involucraba el uso de vitaminas para otros problemas.

Las células del cerebro, como todas las células del cuerpo, necesitan un suministro constante de moléculas que se derivan de los nutrientes en el alimento que ingieres con el fin de funcionar en forma apropiada. Como las funciones de las células del cerebro se relacionan con pensar, todo lo que resulte en una nutrición que no sea óptima para las células del cerebro tendrá como resultado un pensamiento que no sea óptimo de parte del cerebro.

- Se ha descubierto que la **vitamina C** interactúa con una enzima llamada fosfodiesterasa que reduce la concentración en el cerebro de AMP cíclico y, en consecuencia, eleva las respuestas celulares de todo el cerebro a lo normal. La vitamina C es abundante en pimientos, pimentón, jitomate y frutas cítricas.

- También se ha descubierto que la **colina** o **lecitina** es esencial para la comunicación apropiada de las células del cerebro, la duración de la atención y la coordinación motora. Esta sustancia también se asocia con una mejoría de la habilidad mental. La colina, o lecitina, se encuentra en cereales integrales, frijoles (en particular frijoles de soya), aceites prensados en frío como girasol, cártamo y ajonjolí, y gránulos y cápsulas de lecitina.

- Se ha descubierto que la **vitamina B$_5$** (ácido pantoténico) ayuda a los niños con dificultades de aprendizaje.

- La **vitamina B$_6$** (piridoxina) está vinculada en esencia con la formación de varias importantes sustancias químicas del cerebro y la integridad del sistema nervioso. Se ha informado que esta vitamina produce mejoría mental en niños que sufren de diversos problemas que van de autismo a hiperactividad.

- El **cobre** tiende a excitar en exceso las células cerebrales. El **zinc** es capaz de contrarrestar la acción del cobre en el cuerpo y, en consecuencia, minimiza sus efectos desagradables en el cerebro.

- La deficiencia de **zinc** se ha vinculado con el autismo.

- En general, se han vinculado las concentraciones bajas de vitaminas con actividad excesiva del sistema nervioso e incapacidad para concentrarse.

- El ácido gamma aminobutírico ayuda a las células en diferentes partes del cerebro para que se comuniquen unas con otras. Éste se hace en el cerebro de ácido glutámico, que es un aminoácido ordinario presente en el alimento. Sin embargo, esta conversión sólo es posible con la ayuda de la vitamina B$_6$.

- El ácido glutámico también toma el exceso de amonio de las células cerebrales. Una forma de ácido glutámico llamada L-glutamina es particularmente efectiva en esta función y se ha demostrado que mejora el pensamiento, aclara el cerebro de alcohólicos, reduce el pensamiento confuso durante las resacas y mejora el estado de alerta temprano en las mañanas.

- La norepinefrina, otro transmisor del cerebro que se asocia al estado de alerta del cerebro, se produce a partir de los aminoácidos **tirosina** y **fenilalanina**. La concentración en el cerebro de norepinefrina se relaciona con la concentración en la dieta de tirosina, vitamina B_{12} y magnesio.

- En la actualidad se cree que el ácido ribonucleico (**RNA**) es el material con que se hacen las memorias. El RNA es abundante en huevos, pescado y otros alimentos ricos en proteínas. Sin embargo, el cuerpo necesita vitamina B_6 para descomponer las proteínas en aminoácidos, y vitamina B_{12} e inositol para hacer RNA.

- La reducción de la habilidad para pensar puede ser el efecto de peroxidación y radicales libres. **Vitamina E, vitamina A, caroteno** y **vitamina C** ayudan a proteger células cerebrales contra esto.

- Los antioxidantes también ayudan contra los radicales libres. Existen varios aminoácidos y nutrientes que son importantes: ácido para-aminobenzoico (PABA), L-cisteína, taurina, gingko, magnesio, zinc, ginseng, ajo, metionina y selenio.

- La velocidad metabólica de todo el cuerpo está regulada por una glándula llamada tiroides. Las funciones de esta glándula se fortalecen con yodo y algas marinas.

2

Cambios de estado de ánimo: cómo controlarlos

El estado de ánimo es algo muy subjetivo. Lo que una persona podría considerar una explosión neurótica, podría ser una exhibición de temperamento normal para otra. Sin embargo, la incapacidad para mantener un nivel emocional parejo ante las olas diarias de la vida y el cambio constante entre enojo y amor, hiperactividad y depresión, puede alcanzar proporciones drásticas en algunos individuos.

Existen muchas razones para tener cambios del estado de ánimo incontrolables: algunas razones son simples y obvias y otras son oscuras y muy, muy complejas. Por lo tanto, vamos a examinar algunas de las posibles causas para los estados de ánimo variables y luego examinar algunas de las formas para controlarlos sin el uso de drogas.

Cómo afecta la histamina tu estado de ánimo

Histapenia e histadelia son términos que se relacionan con una condición en que existe demasiada histamina o muy poca en el cerebro. Ambas condiciones pueden alterar la forma en que nos comportamos. El cuerpo tiene dos receptores separados para la histamina: H_1, que está relacionada con las reacciones alérgicas clásicas de histamina, como los dolores de cabeza, y H_2, que es un receptor del cerebro.

Concentración excesiva de histamina

Las personas con una concentración excesiva de histamina (histadélicas) tienen una gran capacidad para alcohol y otras drogas. Suelen tener una libido alta (impulso sexual) y están sometidas a ataques periódicos y profundos de depresión. Aunque sus ataques de depresión podían ser cortos y relativamente poco frecuentes, cuando ocurren este tipo de persona bien podría tener pensamientos suicidas. Parecen necesitar menos sueño que la mayoría de las personas y tienden a ser algo obsesivas, pero son extrañamente sensibles al dolor físico. A menudo sufren de concentración baja o fluctuante del azúcar en sangre (hipoglucemia) y agotamiento de las suprarrenales (hipoadrenocorticismo) ya que tienden a ser metabolizadores rápidos. Estas condiciones parecen fluctuar ampliamente, de semana en semana, e incluso de día en día. Tienden a padecer algunas alergias o intolerancias que a menudo están bien disimuladas, y son propensas a dolores de cabeza o migrañas, Buenos dientes y problemas de estómago son dos señales más. Los dientes están bien porque los histadélicos salivan mucho y presentan úlceras estomacales porque son tensos.

Se pueden emplear pruebas de sangre para determinar la concentración de histamina. Una solicitud de conteo diferencial de glóbulos blancos indicará un conteo basófilo. La gama normal de basófilos está entre 10 y 140. Una cifra elevada indica concentraciones elevadas de histamina.

Otras pruebas comunes empleadas para indicar la concentración de histamina son volumen corpuscular medio y el contenido de hemoglobina corpuscular media. El volumen corpuscular medio mide lo grandes que son las células sanguíneas y el contenido de hemoglobina corpuscular medio mide cuánta hemoglobina contienen. Un bajo volumen corpuscular medio y un alto contenido de hemoglobina corpuscular medio señala la posibilidad de concentraciones altas de histamina.

Tratamiento

El principal impulso del tratamiento ortomolecular tiene la meta de reducir la concentración de histamina. La metionina, un aminoácido esencial, tiende a metilar la histamina y a desactivarla. El ácido pangámico, también conocido como pangamato de calcio o vitamina B_{15}, también es útil para reducir la concentración de histamina, así como una dieta alta en coles, en especial de la variedad roja china.

La vitamina C tiene un efecto antihistamínico natural, mientras que el calcio suele ayudar a la liberación de la histamina.

Se pueden emplear drogas farmacéuticas, como Dilantin® (sólo disponible con receta médica) ya que interfieren con el me-

---

Alimentos que contienen metionina

ajo	jamón
berro	leche
carne	manzana
carne de puerco	nueces de Brasil
cebolletas	pescado
col	piña
coles de Bruselas	pollo
coliflor	queso cottage
frijol de soya	sardinas
hígado	soya
huevo	yogurt

Alimentos ricos en vitamina B_{15} (ácido pangámico)

almendras	hueso de chabacano
germinado de arroz	levadura (de cerveza)
hígado	salvado de arroz

tabolismo de la vitamina B$_{12}$ y el ácido fólico (la vitamina B$_{12}$ aumenta la producción de histamina). Sin embargo, los terapeutas naturales prefieren no usar drogas, aunque a veces es necesario para producir resultados rápidos. En este caso, la droga sólo se debería utilizar por un par de semanas, reducirse gradualmente y luego retirarse finalmente después de un mes o algo así.

Sin embargo, tomar grandes cantidades de complementos, como tirosina, fenilalanina o ácido pantoténico puede ser contraproducente ya que tienden a estimular el sistema nervioso que ya está sobreestimulado por el exceso de histamina.

Es obligatoria una verificación completa de intolerancias o alergias al alimento y el ayuno ayudará por lo general, ya que la síntesis de histamina se reduce por la falta de proteínas.

Concentración baja de histamina

La histapenia son personas que sufren de una deficiencia del neurotransmisor histamina que causa fluctuación del estado de ánimo. Su volumen corpuscular medio suele ser alto, lo que señala una deficiencia de vitamina B$_{12}$ y ácido fólico por la dieta o por mala absorción. Una prueba de sangre de rutina a menudo mostrará una baja cuenta de basófilos (por lo general de menos de 10).

Aunque parecen tener rápidos cambios de estado de ánimo, la tendencia es por lo general hacia el lado negativo. Es probable que sean soñadores, a menudo fuera de contacto con la realidad y, hablando en general, son personas que logran poco, que muestran poca productividad en su trabajo o carrera elegida. Se frustran con facilidad y se vuelven muy irritables y, en cuanto están bajo presión, se cansan en el aspecto físico y se deprimen con facilidad. Se emborrachan con cantidades muy pequeñas de alcohol y los afectan con facilidad la mayoría de las drogas. Por lo general, parecen necesitar dormir mucho. Tienen un impulso sexual más bien bajo, metabolismo bajo y por lo general pueden tolerar el dolor con mucha facilidad. Parece existir un toque de paranoia en su carácter (pensar que el mundo está en su contra).

Tratamiento

El tratamiento para quienes tienen histapenia implica elevadas dosis de vitamina B_{12} para aumentar la concentración de histamina. Las dosis elevadas se pueden administrar con inyecciones o por ingestión oral. Las inyecciones de vitamina B_{12} pueden causar problemas en personas que son alérgicas o hipersensibles a la levadura y, por lo tanto, se debe tener cuidado con este tratamiento. La ingestión oral de la vitamina B_{12} rara vez causa algún problema. Se ha descubierto que las tabletas de vitamina B_{12} Plus son muy efectivas.

Sin embargo, el ácido fólico parece aumentar los efectos de los estrógenos y podría estar contraindicado en algunos pacientes con los siguientes antecedentes: tumores mamarios, hiperestrogenismo y un tipo de síndrome premenstrual que se caracteriza por sangre menstrual excesiva (menorragia) que a menudo tiene coágulos, inflamación y dolor de senos, letargo en lugar de irritabilidad durante la fase premenstrual y tendencia a retener gran cantidad de fluidos (ver capítulo sobre Síndrome premenstrual).

La investigación más reciente también indica que las personas con estos antecedentes no deberían tomar complementos de levadura ya que podrían ser alérgicas a la levadura o tener una infección por levaduras, lo que podría empeorar el problema. A menos que sean intolerantes o alérgicas a trigo sarraceno, este alimento es una fuente valiosa de rutina, que impide la descomposición de la histidina. (La rutina puede tomarse en forma de tableta.)

Se debe administrar niacina, no niacinamida, para ayudar a la conversión de histidina en histamina y se debe llevar a cabo un examen completo por sensibilidad a trigo, gluten y cereales mediante una prueba de provocación con alimento. Otras pruebas para descubrir sensibilidad a los alimentos no son tan confiables como la prueba de provocación con alimento. Las pruebas de radioalergoabsorbencia (RAST) sólo mide las reacciones de inmunoglobulina E y la mayoría de las alergias a los alimentos están mediadas por otras inmunoglobulinas. La prueba citotóxica es

Alimentos ricos en vitamina B$_{12}$ (cianocobalamina)

arenque	macarela
atún	mariscos
carne de puerco	pollo
(corazones, hígado)	queso (cheddar, crema)
carne de res	salmón
(riñones, hígado)	sardinas
ciruela pasa	yema de huevo
leche	yogurt

Alimentos ricos en ácido fólico

aguacate	frijol
almendras	germen de trigo
arroz	lechuga
atún	legumbres
cacahuates	macarela
carne de res	naranja
(corazón, hígado)	nuez
cebada	nuez de Castilla
ciruela	pasas
dátiles	pavo
espárragos	queso cottage
espinacas	zarzamora

muy antigua y ha demostrado no ser confiable ni reproducible. Ahora están disponibles pruebas más actualizadas, como la prueba ALCAT; sin embargo, pueden ser muy costosas y son inferiores a la prueba de provocación con alimento.

Fenilalanina, triptofano y tirosina pueden ser útiles ya que la depresión a menudo está relacionada con una deficiencia de estos neurotransmisores. Mi experiencia clínica ha sido que el triptofano puede empeorar los síntomas de algunos pacientes psiquiátricos. Si el problema subyacente es escasez de norepinefrina, lo que aumenta la serotonina (el producto del triptofano) causará más desequilibrios de la proporción entre los dos neurotransmisores (serotonina de triptofano y norepinefrina de tirosina). Sin embargo, si el problema subyacente es deficiencia de serotonina, se podría utilizar el triptofano con éxito.

La vitamina B$_5$, o ácido pantoténico, también puede ser un complemento útil por su papel en la transmisión de impulsos nerviosos en el cerebro y por ayudar a las glándulas suprarrenales a responder a la tensión.

Alimentos ricos en niacina

aguacate	frijoles con salsa de jitomate
almejas	hígado
arroz	hongos
atún	jitomate
brócoli	levadura (de cerveza)
cacahuate	ostras
calabaza	papas
carne de órganos (hígado, riñones)	pavo
	pescado (abadejo, hipogloso)
carne de puerco	pollo
carne de res	proteínas de soya
cebada	salmón
frambuesa	sandía
fresas	trigo

En todos los casos en que se sospeche de concentración alta o baja de histamina, se debería llevar a cabo una prueba de saturación de tejidos para vitamina C además de análisis de orina de rutina llevado a cabo durante la prueba de alergia a los alimentos.

Ansiedad y agorafobia

La ansiedad tiene diferentes significados para muchas personas: irritable, nerviosa, temerosa, dada al pánico, susceptible, excitable,

El caso de Joanna X

Joanna, ejecutiva de negocios de treinta años de edad que viaja por todo el mundo como parte de su trabajo, vino a verme hace algún tiempo.

"Para decirlo con sinceridad, doctor Vayda", dijo, "creo que estoy a punto de que me despidan. Soy muy buena en mi trabajo y me ascendieron relativamente pronto a una posición de compradora de alto nivel hace alrededor de un año. Después de unos cuantos meses de viajar, empecé a experimentar episodios de lo que llamo un 'cerebro nebuloso' y ansiedad. De repente, y sin razón aparente, sólo no podía pensar. Todo lo que normalmente hacía casi sin siquiera pensarlo se olvidaba por completo o, en forma muy abrupta, me encontraba con que no podía llevar a cabo la tarea más simple. No podía sumar o decidir en una línea en particular o incluso pensar coherentemente respecto a lo que se suponía que tenía que hacer. Después de unos cuantos episodios así, empecé a sentirme atemorizada y a menudo con pánico... sin razón visible.

"Podía pasar horas enteras temblando y sintiendo que algo horrible iba a pasarme. Empecé a temer dejar el cuarto de hotel... añadiré que era el único lugar en que me sentía segura. Sabía que la sensación era de alguna manera similar a la que había oído describir como agorafobia.

"No estaba enferma, sin embargo me sentía mal. No tenía un resfriado, fiebre ni gripe; sin embargo, me empezaron a doler partes del cuerpo en una forma sutil pero desconcertante. Diversos médicos me hicieron llevar a cabo todas las pruebas imaginables pero sólo podían decirme que estaba totalmente sana. Me dijeron una y otra vez que todo estaba en mi mente o en la tensión de mi trabajo. Se culpó al desfase de horario por volar en aviones o síndrome premenstrual, así como el hecho de que no estuviera casada, que trabajara demasiado duro o que no tuviera hijo alguno. En realidad se reducía a las creencias personales particulares del médico que me veía. Sin embargo, en mi corazón *sabía* que algo más estaba mal. Aunque con claridad afectaba mi cerebro, también sabía que no estaba loca ni neurótica.

"Me tomé una semana en Honolulu, me senté en la playa, nadé, me broncee y descansé en general. No mejoré mucho aunque me sentía menos ansiosa. Ahí quedó la sugerencia de que sólo necesitaba unas vacaciones. Como sea, sólo había trabajado dos meses desde mi último descanso; difícilmente el tiempo para sacar de la acción a una persona saludable de treinta años de edad. Para el final de la semana me convencí que no había nada que pudiera hacer al respecto y volví a trabajar. Me temo que a menos que pueda encontrar una forma de calmarme, tendré que tomar tranquilizantes o arriesgarme a que me despidan."

Le pregunté a Joanna si participaba en cualquier deporte y me dijo que por lo general jugaba algo de tenis pero que desde que se sintió mal descubrió que le faltaba la energía. "Como sea", añadió, casi como idea de último momento, "siempre que me esfuerzo físicamente siento que empiezan los síntomas o, si ya están presentes, que empeoran, en particular la ansiedad". Para mí, esta última declaración aseguró el diagnóstico.

Una serie corta de preguntas estableció que Joanna bebía en forma moderada pero diaria, al menos con las comidas, y que bebía alrededor de 4 a 5 tazas de café y tal vez 2 tazas de té todos los días. Su dieta incluía una buena cantidad de dulces y a menudo recurría a bocadillos de comida rápida que consistían principalmente en carbohidratos refinados. Sus antecedentes médicos revelaron el hecho de que había sufrido de un ataque de hepatitis unos años antes.

Aseguré a Joanna que no era probable que fuera alérgica a nada y que las alergias no tenían nada que ver con su problema. Joanna tampoco estaba enferma mentalmente. Aunque exhibía y experimentaba los síntomas de neurosis de ansiedad, Joanna no necesitaba tomar un solo tranquilizante. Sin embargo, unos pocos meses después había vuelto a su forma normal de ser. Mira, Joanna sufría del síndrome de ansiedad inducido por lactato, una enfermedad que era responsable de entre 20 y 50 por ciento de los casos de ansiedad.

El hígado dañado de Joanna no podía desempeñar algunos de los pasos clave en la cadena bioquímica que descompone los carbohidratos en glucosa. En lugar de eso, ella producía cantidades anormales de una forma de ácido láctico llamado lactato. Esta sustancia química natural es un panicogénico conocido, lo que significa que es capaz de causar ansiedad, o pánico, en individuos susceptibles.

Alimentos ricos en vitamina B$_5$ (ácido pantoténico)

abadejo	hongos
aguacate	huevos
almeja	langosta
cacahuate	lentejas
cangrejo	macarela
carne de res	piña
frijol de soya	pollo
germen de trigo	salmón
germinado de frijol	sandía
hígado (de res, de puerco)	sardinas

taciturna, aterrada, aprensiva. Todas estas palabras se emplean en forma corriente para describir un estado de ánimo que hace que algunas personas teman hacer frente o manejar las tareas de todos los días. Algunas personas empiezan a sudar profusamente por el pensamiento de salir a una entrevista de trabajo o conocer a una persona nueva, mientras que otras no pueden siquiera soportar subir a un camión o ir a la tienda de la esquina. (En casos extremos, a esta situación se le conoce como agorafobia.)

Un síntoma que es común en casi todos los tipos de ansiedad es una falta de energía constante o cíclica. Otros signos son: latido cardiaco rápido, palpitaciones, sensación de temblor interno (a menudo acompañado por temblor visible de manos, extremidades o incluso todo el cuerpo), sensación de presión en la garganta, calambres musculares y palmas húmedas.

Muchos de quienes tienen este problema experimentan confusión mental, inseguridad, incluso mareo, además de sensaciones de temor extremo y desesperación acompañadas por una sensación de que algo malo está a punto de suceder. De hecho, es muy común que a estas personas las clasifiquen sus amigos, parientes e incluso su médico, como "neuróticas".

En el examen físico, alguien que sufre de ansiedad tendrá presión sanguínea diastólica elevada; sin embargo, en los casos en que el cansancio es un síntoma importante, la presión sanguínea puede ser muy baja. Existe una tendencia a los calambres musculares y el ritmo cardiaco tiende a ser anormalmente rápido. Sin poderse evitar, a las personas que tienen ansiedad les resulta difícil dormir y se cansan con facilidad.

Aunque algunas pueden tener antecedentes de enfermedad psiquiátrica, a muchos más se les ha clasificado como "neuróticos" y una proporción importante de ellas tiene antecedentes de alcoholismo, trastornos del hígado, mala absorción y candidiasis recurrente, concentración baja o fluctuante de azúcar en sangre (hipoglucemia) e hiersensibilidad o alergia ambiental o a los alimentos. También son comunes los trastornos de la respiración. Algunos estudios han mostrado que la mayoría de estos pacientes, si no es que todos, obtiene hasta el 75 por ciento de sus calorías de carbohidratos y azúcares refinados.

En muchos casos, el paciente informará que los síntomas empeoran justo después de esfuerzo físico vigoroso. Se describen como personas que "viven con los nervios de punta" y a menudo así se refieren otros a ellos. Es paradójico que este tipo de individuo a menudo tenga una necesidad abrumadora de soledad y que se reduzca la entrada de impulsos sensorios.

Aunque es cierto que en algunos casos de neurosis de ansiedad o agorafobia el paciente tiene un trastorno de la personalidad o problema psicológico subyacente, existen muchos casos en el síndrome se debe a anormalidades bioquímicas que están relacionadas con desequilibrios o deficiencias de la nutrición.

Uno de los desequilibrios de la nutrición más comunes es un exceso de lactato. El lactato es la forma iónica del ácido láctico (un subproducto normal del metabolismo) que aumenta durante la actividad física y el esfuerzo muscular. El lactato puede activar un ataque de pánico o ansiedad y, si demasiado lactato está presente en la sangre todo el tiempo, el paciente puede estar en un estado constante de ansiedad.

Experimentos han mostrado que en más de 90 por ciento de las personas ansiosas y alrededor de 20 por ciento de los individuos "normales" una inyección intravenosa de lactato causará un ataque inmediato de ansiedad. Lo normal es que parte del lactato de la circulación se descomponga en bióxido de carbono y agua, y se expulse del cuerpo. La capacidad de un individuo para descomponer el lactato varía y existen muchas razones para una acumulación excesiva de lactato en el torrente sanguíneo.

Almidones, azúcares, carbohidratos refinados y sorbitol de miel o fructuosa (azúcar de frutas) se convierten en glucosa (azúcar de la sangre) con la digestión en varios pasos bioquímicos. En uno de estos pasos, se forma piruvato y gran cantidad de éste se podría convertir en lactato cuando el hígado no está funcionando muy bien o cuando hay deficiencia en algunas de las vitaminas del grupo B (en especial vitamina B_1 [tiamina], vitamina B_3 [niacina] y vitamina B_6 [piridoxina]) y minerales como magnesio o zinc.

El piruvato también se asocia con la vitamina B_{12} y una deficiencia de esta vitamina puede causar que la concentración de piruvato se eleve drásticamente. El aumento de la concentración de piruvato puede causar que la concentración de azúcar en sangre baje mucho y la hipoglucemia resultante causa su propio conjunto de síntomas secundarios, como aletargamiento y confusión mental.

Una propiedad interesante del lactato es que forma un enlace con el calcio de la circulación. Es esta propiedad que ha conducido al uso de los complementos de calcio en el tratamiento de la ansiedad. El calcio se une al exceso de lactato en el torrente sanguíneo y, por lo tanto, reduce la posibilidad de un ataque de ansiedad inducido por el lactato. Los complementos de calcio no se emplean para curar neurosis de ansiedad o agorafobia, pero previenen, o evitan, los ataques de ansiedad por completo.

Otro enfoque para tratar la ansiedad tiene la meta de aumentar la función del hígado con la dieta correcta (a menudo moderadamente alta en proteínas y a veces alta en fibra) y complementos. La vitamina C en polvo se emplea en forma de ascorbato de calcio en parte porque el ácido ascórbico eleva la síntesis de AMP cíclico (lo que estimula la absorción de lactato del hígado) y porque el calcio también se une a parte del exceso de lactato.

Nunca empleamos harina de hueso por la posibilidad de toxicidad de metales pesados o gluconato de calcio porque se absorbe poco. El lactato de calcio no se emplea porque el calcio y el lactato se neutralizan uno al otro y no hay suficiente calcio "libre" para unirse al lactato de la circulación.

Es necesario ingerir el calcio con el estómago vacío al menos dos horas después de una comida o una hora antes. No se aconseja té, café y otros preparados que contengan cafeína, ya que aumentan la proporción de lactato y piruvato. El alcohol tiene un efecto similar y, además, puede poner en peligro las funciones óptimas del hígado. Se recomienda la reducción drástica de jugos de frutas, miel y otras fuentes de fructuosa ya que este azúcar se convierte rápidamente en lactato bajo condiciones anaeróbicas.

Se sugiere una dieta baja en azúcares, sin carbohidratos refinados, similar al régimen hipoglucémico, para las personas que tienen síndrome de ansiedad inducido por lactato y se aconseja al paciente sudar profusamente (de preferencia en un sauna y no por ejercicio), ya que sudar es una forma en que el cuerpo se puede liberar del lactato.

Alimentos ricos en calcio

almejas	ostras
almendras	partes verdes de nabo
brócoli	queso (cottage)
cangrejo	salmón
frijol de soya	sardinas
hígado (de res, de pollo)	semillas de ajonjolí
leche	verduras (de hojas
legumbres	comestibles, verde
macarela	oscuro)
melaza	yema de huevo
nuez de Brasil	yogurt

Después de un periodo de prueba, se revalora al paciente en cada síntoma específico y, si cualquiera de ellos persiste, se examina de nuevo por la posibilidad de una causa diferente.

Hipoglucemia

La hipoglucemia es azúcar en sangre que fluctúa, donde la concentración cae a un nivel anormalmente bajo o fluctúa mucho o con rapidez. Es una de las causas más comunes de conducta errática, en especial si causa fatiga inexplicable, mareo ocasional y deseo de dulces.

Aunque ya no se le considera una "enfermedad" en sí, la hipoglucemia a menudo se asocia con una dieta de alimento chatarra que contiene demasiados azúcares. La puede causar azúcar blanca, morena, cruda o cristalizada con tanta rapidez como la miel o la melaza. De hecho, carbohidratos refinados, pasteles, bebidas no alcohólicas e incluso una cantidad excesiva de fruta deshidratada pueden causar los síntomas.

A menudo, la causa subyacente de esta condición, que es en realidad un síntoma, es intolerancia, hipersensibilidad o alergia a un alimento, sustancia química o factor del medio ambiente común. En las mujeres al menos, otra causa muy común puede ser una infestación de *Candida*, conocida como candidiasis, aftas o infección micótica.

En la antigüedad se solía llevar a cabo una prueba de tolerancia a la glucosa durante un periodo de varias horas para el diagnóstico. En la actualidad, la prueba se lleva a cabo todavía, pero en lugar de azúcar, se emplean diferentes alimentos o sustancias químicas para probar al paciente, mientras se miden varios parámetros diferentes junto con las fluctuaciones en la concentración de azúcar en sangre.

Sin importar la causa de la hipoglucemia, sabemos que la puede activar invariablemente el azúcar, así que todavía se emplea la base de la antigua dieta hipoglucémica (sin azúcar, dulces o carbohidratos refinados además de bocadillos pequeños pero frecuentes). Sin embargo, los alimentos que se encuentran en la dieta dependen de la susceptibilidad del individuo. A algunas personas se les podría poner en una dieta rica en proteínas mientras que otras podrían estar en una dieta rica en fibras y otras incluso en regímenes especiales que eliminan alimentos particulares.

Los complementos de vitaminas y minerales siempre se ajustan al individuo. Si el hipoglucémico está deprimido casi todo el tiempo, la vitamina B_5 ayudará mucho. Si tiene demasiada ansiedad e irritabilidad, podría empeorar la situación. También se da zinc, vitaminas B, vitamina C (en este caso, no ascorbato de calcio) y otros complementos.

Como el hígado tiene una función muy importante en el almacenamiento de azúcar en sangre, es esencial que las funciones del hígado se eleven al máximo con una dieta apropiada, complementos y que se mantenga la total abstinencia de alcohol.

Sólo se deberían emplear los medicamentos que afectan el hígado cuando es absolutamente necesario y con el máximo cuidado. Como la tensión influye en el sistema inmune y nuestro metabolismo de azúcar, se recomienda relajación, meditación y eliminar situaciones que causen tensión.

Alimentos ricos en Vitamina B_5 (ácido pantoténico)

abadejo	hongos
aguacate	huevos
almeja	langosta
cacahuate	lentejas
cangrejo	macarela
carne de res	piña
frijol de soya	pollo
germen de trigo	salmón
germinado de frijol	sandía
hígado (de res, de puerco)	sardinas

Alimentos ricos en zinc

arenque
arroz, integral
atún
avena
cangrejo
carne de puerco
cereales
cordero
hígado (de res)
hongos

huevos
leche
levadura (de cerveza)
nuez de Brasil
ostras
riñones
salvado
semillas de calabaza
semillas de girasol
ternera

Alimentos ricos en vitamina C (ácido ascórbico)

alfalfa
bayas (arándano, grosella,
   frambuesa y fresa)
brócoli
camote
col
coles de Bruselas
coliflor
espinacas
frutas cítricas (limones,
   naranjas, jitomates)
guayaba

hígado (de res)
melón
nuez de Brasil
ostras
papas
pimiento
plátano
riñones
sandía
verduras (hojas comestibles
   verdes)

Alergias y *Candida* (candidiasis)

Las alergias y *Candida* están íntimamente relacionadas y, aparte de causar el síndrome hipoglucémico, también pueden ser responsables de cambios increíbles del estado de ánimo. He visto y tratado miles de pacientes cuya vida emocional se ha restaurado a niveles razonables con sólo descubrir y luego tratar intolerancias, alergias o hipersensibilidades que no se sospechaban. Con *Candida*, el problema es mucho más complicado.

¿QUÉ TE SUCEDE CUANDO APARECE UNA ALERGIA?

El cuerpo crea anticuerpos contra el alimento o sustancia dañino y para siempre después de eso, cuando el anticuerpo y el alérgeno se encuentran, ocurre una pequeña explosión en tu cuerpo y se liberan diversas sustancias químicas (como histamina). Tu cuerpo tiene la meta de combatir lo que considera es un enemigo pero, en el proceso, los tejidos de cuerpo se pueden irritar o dañar.

Si los tejidos, que están formados por células, resultan ser las vías respiratorias, estornudas, toses o aparece sinusitis; si están en el intestino, sufre la digestión; si afectan de esta forma las células del cerebro, aparecen síntomas psiquiátricos. Las alergias son muy problemáticas ya que nunca sabes qué forma adoptarán y qué parte del cuerpo será el espectador inocente que recibe los daños en la lucha entre antígeno y alérgeno.

Por lo general, la infección con *Candida* sólo se nota cuando afecta el área vaginal, oral o de las uñas. La candidiasis vaginal, para darle un nombre médico, causa fuerte comezón, a veces descarga olorosa y coito sexual incómodo.

Candida, la levadura responsable de la candidiasis habita boca, garganta, intestino y tracto genitourinario de la mayoría de los humanos. Por lo general no causa problemas y es, por decir, un "socio silencioso". Cuando está comprometida nuestra resistencia natural, empieza a proliferar y a tomar el mando. Cualquier debilitamiento del sistema inmune por tensión, dieta deficiente, enfermedad o el uso de ciertas drogas puede causar un crecimiento excesivo de *Candida*.

Por lo general, la candidiasis no se puede diagnosticar mediante los métodos ortodoxos, así que es esencial un historial médico y de nutrición completo. El crecimiento excesivo de *Candida* invariablemente causa sensibilidad (intolerancia o alergia, si lo prefieres) a la levadura y otros mohos u hongos, y uno de los errores más comunes que cometen los médicos bien intencionados es tratar la enfermedad sin diagnosticar y corregir las múltiples alergias que invariablemente están presentes.

Los síntomas y signos son síndrome premenstrual, deseo de dulces, pan, pasteles, alimentos fermentados, ahumados o en escabeche, distensión abdominal, colitis, estreñimiento, diarrea, flatu-

---

¿POR QUÉ LAS ALERGIAS SON MÁS FRECUENTES EN LA ACTUALIDAD?

1. Más y más de nosotros sobrevivimos al nacimiento.

2. Más y más de nosotros no tomamos pecho y en consecuencia perdemos el calostro que ayuda a formar el sistema inmune.

3. Más y más de nosotros ingerimos una dieta que es hasta 50 por ciento manufacturada, procesada y sintetizada, y que procede de una gama cada vez más estrecha de ingredientes. Estos factores son formas excelentes de alentar las alergias. Una encuesta que se llevó a cabo en 2003 encontró que familias de todo el Reino Unido ingieren más alimentos ya preparados y comidas para llevar que nunca antes. Se calculó que la sorprendente cantidad de 1,430 millones de libras se gastan en comidas para llevar en Inglaterra.

4. Más y más de nuestros alimentos contienen sustancias que la gente no puede manejar, como trigo, azúcar y cafeína.

5. Más y más contaminantes están surgiendo en todo, desde tu crema para después de afeitarse favorita hasta el fertilizante que se usa para cultivar tus verduras. ¡Y el agua de ciudad puede contener hasta 200 sustancias químicas!

6. Más y más materiales que se ponen cerca de tu cuerpo, o se ponen en la casa, son, de hecho, subproductos de hidrocarburos del petróleo que son sustancias muy alergénicas. Por lo tanto, nuestras casas, oficinas, autos y tiendas contienen más y más alérgenos potenciales.

Para reducir las posibilidades de hacerte susceptible a muchos alérgenos a tu alrededor, trata de evitar materiales sintéticos, alimentos desnaturalizados o procesados y contaminantes químicos, y trata de tener una vida natural tanto como puedas.

lencia, dolor de cabeza, depresión, irritabilidad, ansiedad, sinusitis, asma, cistitis, fatiga, dolor o rigidez de articulaciones, retención de fluidos, problemas de la piel e incapacidad de bajar de peso a pesar de muchas dietas estrictas.

Conforme el organismo continúa creciendo, cambia de su forma de levadura, en que causa hipersensibilidad y alergia, a una forma de hongo con micelio, que produce rizoides. Los rizoides son estructuras con forma de raíz que pueden penetrar la pared del intestino y destruir las barreras normales entre el intestino y la sangre.

Por la destrucción de las barreras, muchos compuestos entran a la circulación y causan reacciones alérgicas. Si estos compuestos penetran la barrera hematoencefálica, pueden producir síntomas que son muy fáciles de confundir con enfermedades mentales. Se sabe que estas proteínas digeridas en forma incompleta (polipéptidos) incluso pueden imitar neurotransmisores "reales" y causar estragos en nuestro estado de ánimo.

Es necesario que un practicante ortomolecular experimentado trate con cuidado la candidiasis y sus efectos sistémicos de amplio alcance. En primer lugar, se debe destruir el organismo *Candida*. Esto sólo se logra con un preparado antimicótico (nistatina) que se debe administrar con cuidado. Al mismo tiempo, literalmente se mata de hambre al organismo con una dieta que sea libre de levaduras y sin carbohidratos y azúcares refinados. Se debe restaurar la resistencia inmunológica de cada paciente con una combinación de complementos y cuidado ecológico.

Incluso cuando se ha logrado, y puede requerir algo entre unas cuantas semanas y muchos meses, se debe vigilar con cuidado al paciente (mediante pruebas de provocación) por cualquier alergia residual. Entonces, se deben emplear diversos prebióticos, como *Lactobacillus acidophilus*, para fomentar el crecimiento de bacterias en el intestino que normalmente mantienen a los organismos de *Candida* bajo control.

Incluso después de la eliminación exitosa del exceso de *Candida*, se debe restaurar la mucosidad intestinal con una dieta rica en fibra, ácido oleico y biotina (una vitamina del grupo B que se encuentra en la yema de huevo e hígado). Si este tipo de dieta no es posible por una alergia a cereales, se emplea en su lugar glucomannan. Después de esta fase, se emplean varios complementos de fórmula especial para ayudar a restaurar la mucosa intestinal. A menudo se utiliza ajo junto con estas medidas.

Por desgracia, después de tratar a muchos cientos de pacientes con aceite de oliva, biotina y una dieta rica en fibra, hemos descubierto que no funciona muy a menudo. El hombre que propuso primero este programa, el doctor J. Bland, dice: "Aunque no es del todo exitoso, este programa puede ser útil... si se emplea para aliviar los síntomas de las enfermedades crónicas". Es efectivo en estados crónicos, pero rara vez parece curar la enfermedad subyacente. Mientras que se reducen los cambios a *Candida* micelial, el crecimiento excesivo de la *Candida* causa una poderosa intolerancia y daña la inmunocompetencia del hospedero.

Es obvio que no todas las personas con cambios de estado de ánimo, irritabilidad, ansiedad, fatiga, problemas de piel y de peso tendrán *Candida*, hipoglucemia, exceso de histamina o deficiencia de calcio ionizado, pero estas enfermedades son lo bastante frecuentes para garantizar un análisis completo antes de que se permita a la medicina toximolecular entrar con las poderosas drogas psiquiátricas, tranquilizantes adictivos y otros medicamentos tóxicos.

Un caso de alergia a Candida

Melissa sufría de infecciones recurrentes del oído, erupciones de la piel y sinusitis. Estaba experimentando terribles cambios de estado de ánimo y severos síntomas del síndrome premenstrual, en especial depresión. También había tenido candidiasis unas cuantas veces en los últimos cinco años.

Su doctor, un médico familiar con interés en nutrición y medicina alterna, había diagnosticado candidiasis y prescrito antimicóticos además de una dieta libre de levadura. Melissa se sintió muy mal después de tomar la medicina pero el médico le explicó que tal vez era una reacción de "muerte de los organismos" que sólo duraría unos cuantos días mientras su cuerpo eliminaba a los organismos dañinos. Por desgracia, los síntomas persistieron y ella se vio obligada a abandonar el tratamiento.

Le expliqué a Melissa que no era algo poco común, ya que muchas de las llamadas reacciones de "muerte de los organismos" eran, de hecho, una reacción "alérgica" a *Candida*. La pista era que los síntomas persistían después de los cuatro o cinco días en que es probable que mueran las levaduras. De hecho, una reacción de este tipo es a menudo la evidencia de diagnóstico de alergias a hongos y mohos. También le expliqué a Melissa que el tratamiento para una infección de *Candida* es muy diferente que para una alergia a *Candida*.

Por lo general, las infecciones por *Candida* requieren el tratamiento simultáneo de la pareja sexual y a menudo de cualquier otro individuo, como los hijos, que entran en contacto diario y cercano con la persona enferma.

Candida puede causar infecciones además de alergias: la causa de las alergias es la alteración del sistema inmune y la causa de las infecciones es la liberación de toxinas. *Candida* puede causar ambas en cualquier individuo. Esta situación puede producir diversos síntomas que incluyan órganos y glándulas de cualquier parte del cuerpo... incluso los más alejados de las áreas infectadas por el organismo. La candidiasis se puede asociar con alergias, intolerancia o sensibilidad a alimentos, sustancias químicas, medio ambiente además de disfunciones de muchas glándulas y, en consecuencia, sistemas de hormonas y enzimas.

Los síntomas de alergia a *Candida* son similares a las alergias o intolerancias a mohos y hongos, con una excepción: la llamada reacción de "muerte del organismo" puede durar mucho más y ser tan severo que impida el tratamiento si una infección está presente al mismo tiempo. Déjame explicarlo: a veces cuando empieza el tratamiento con antimicóticos, los organismos de *Candida* moribundos se reabsorben y debido a que cambian y liberan toxinas, esto causa que empeoren los síntomas. Si el paciente es alérgico a mohos, la reacción será incluso más severa y durará más tiempo.

Además, el tratamiento para desensibilizar o neutralizar cualquier alergia a mohos y hongos o *Candida* pueden causar de hecho una reacción en lugar de aliviar los síntomas. Por lo tanto, es importante saber si alguien es alérgico o no. Entonces, a menudo decidimos separar las gotas para desensibilizar o neutralizar de manera que se mantengan fuera de ellas a los mohos. Luego, después de que los antimicóticos han hecho su trabajo, se añade la vacuna para mohos o se añade a la existente o se hace una nueva y se administra. Otra forma de evitar este problema es emplear preparados homeopáticos para las alergias y la *Candida*.

Por supuesto, el conocimiento de una alergia o intolerancia existente a *Candida* y mohos también es útil para vigilar la utilidad o falta de utilidad del tratamiento. A veces se trata a la gente sólo con una dieta y complementos. Podría ser o no ser suficiente. Si no lo es, entonces cuando comenzamos los procedimientos de insensibilización de moho, el paciente reaccionará, lo cual es una señal clara de que la infección no se ha tratado con éxito.

Entonces tenemos la opción de perseverar con el tratamiento original por un periodo más prolongado; cambiando el remedio que se está empleando, a menudo por uno homeopático, o empleando un antimicótico como nistatina.

Como una alergia a *Candida* a menudo se extiende para incluir sensibilidad a muchos mohos y hongos del medio ambiente, organicé que se pusieran varias placas para mohos en la casa y recámara de Melissa y le pedí a micólogos que las analizaran. El informe me mostró que su recámara estaba llena de *Cladosporium*, *Aspergillus*, *Penicillium* y que tenía un contenido leve de varios otros mohos y hongos.

En este punto, comenzamos a revisar sus alergias. Una prueba de sangre de inmunoglobulina E resultó ser normal pero una prueba de rasguño de la piel mostró que Melissa era muy sensible a varios mohos y hongos, en especial a TOE (mezcla de *Trichophyton*, *Candida*, *Pidermophytoninguinaie*), *Asperegullus*, *Penicullium*, *Cladosporium* y *Candida albicans*.

Entonces le expliqué a Melissa que debía desensibilizarse y que necesitaría tener cuidado en particular con la exposición a mohos en el medio ambiente y el alimento. Siguió mi consejo y en unas cuantas semanas Melissa ya no tenía los síntomas.

3

Cambios de estado de ánimo: tranquilizantes y alternativas naturales

Millones de personas, la mayoría mujeres, toman tranquilizantes y otras drogas para alterar el estado de ánimo sin saber del todo qué son o por qué las toman. Pocas personas se dan cuenta que en muchos casos, si no en todos, los medicamentos conocidos como tranquilizantes, forman hábito, causan efectos secundarios y no trabajan en absoluto después de unos cuantos meses. Para todos los propósitos prácticos, son simplemente drogas legales y socialmente aceptables de adicción.

He estado practicando medicina de la nutrición y psiquiatría por más de una cuarto de siglo y durante ese tiempo he tratado a miles de pacientes que sufrían enfermedades "mentales" y "emocionales". En rara o ninguna ocasión he visto que alguien se cure tomando tranquilizantes.

Sin embargo, he visto paciente tras paciente cuya vida se ha arruinado al volverse adictos a estas drogas. También he visto cientos de personas que una vez que decidieron dejar de tomar tranquilizantes sufrían síntomas de abstinencia mucho peores que los que causaron que buscaran ayuda por principio de cuentas.

En mi práctica clínica he podido ayudar, aconsejar e incluso curar a muchas personas cuyos supuestos problemas "mentales" tenían su fundamento, de hecho, en desequilibrios bioquímicos como alergias, o enfermedades físicas, que respondieron de forma admirable a manipulaciones de la dieta, complementos de nutrientes, tratamiento de alergias, regímenes contra *Candida* o terapia de precursores (aminoácidos).

¿Qué son los tranquilizantes y cómo funcionan?

Existen literalmente cientos de tranquilizantes farmacéuticos y naturales que toman millones de personas en todo el mundo en un intento por aliviar lo que se conoce en general como "tensión nerviosa".

Los tranquilizantes se dividen en dos categorías: tranquilizantes menores y mayores. Los tranquilizantes menores se emplean para aliviar ansiedad simple, tensión muscular, insomnio y a veces para amortiguar la abstinencia de drogas ilícitas o alcohol. Los mayores se reservan para aquellos que en opinión de quien los receta sufren de un problema "psiquiátrico". Ejemplos del segundo tipo son esquizofrénicos, psicóticos maniacodepresivos y quienes tienen depresión bipolar (también conocida como depresión maniaca).

Además, algunos de estos medicamentos son de acción a corto plazo, lo que significa que producen un efecto con bastante rapidez pero el efecto es de corta duración. En otras palabras, es poco probable que sientas los efectos de estos medicamentos uno o dos días después de tomarlos. Otros tranquilizantes son de acción media y algunos de acción prolongada.

Cualquiera que desee renunciar a tomar tranquilizantes debería estar conciente que algunas de las drogas en todos los grupos anteriores tienen una vida corta en el cuerpo mientras que otros tienen una vida más larga. De nuevo, esta diferenciación que parece desconcertante tiene un significado simple. Con el fin de renunciar a algo, se debería decidir si reducirlo en forma gradual o detenerlo de repente. Las drogas que persisten en el cuerpo por largo tiempo (las de larga vida) necesitan un programa muy diferente a las de vida corta, por razones obvias, si se desean evitar o al menos minimizar los efectos de la abstinencia.

También hay mucha confusión respecto a para qué se puede emplear un tranquilizante y para qué no. La mayoría de las perso-

---

ANALGÉSICOS

Nombres Codeína
Usos Médicos Analgésico, supresor de la tos
Efectos a corto plazo de la dosis promedio Disimula el dolor al causar ofuscación mental, somnolencia y, en algunos casos, euforia leve a extrema.

NARCÓTICOS

Nombres Heroína, morfina, opio, metadona
Usos médicos Analgésico, la metadona se emplea para adicción a la heroína
Efectos a corto plazo de la dosis promedio Disimula el dolor al causar ofuscación mental, somnolencia y, en algunos casos, euforia leve a extrema. En contraste, algunos usuarios experimentan náusea, vómito y sensación de comezón. Los efectos de la metadona duran considerablemente más (24-36 horas en comparación con 2-4 de analgésicos).
Efectos a corto plazo de dosis grande Igual que en la dosis promedio pero de mayor intensidad. Aumenta la insensibilidad al dolor. Un estado soñador de relajación con total conciencia pero que tiene la apariencia de dormir. En algunos casos, existe un efecto paradójico de aumento de la energía y la claridad mental.

Las sobredosis producen inconciencia, respiración lenta y superficial, piel fría y pegajosa y un pulso débil pero rápido. Cuando se mezcla con otros depresores pueden causar la muerte.

Efectos a largo plazo del uso crónico o abuso Adicción física, aletargamiento, pérdida de peso, dificultades con la erección y la eyaculación y pérdida de la libido (interés sexual).

Síntomas de abstinencia Agitación, irritabilidad, temblores, anorexia (pérdida de apetito), pánico, escalofríos, sudoración, calambres, ojos llorosos, nariz que moquea, náusea, vómito y espasmos musculares.

Barbituratos

Nombres comerciales comunes Amytal®, Nembutal®, Fenobarbital®, Seconal®

Usos médicos Sedación, alivio de la tensión, anestésico

Efectos a corto plazo de la dosis promedio Relajación, dormir. En su uso recreativo, estas drogas son un poco como el alcohol pero sin las calorías. Producen intoxicación leve, pérdida de la inhibición (quienes las usan pueden volverse sexualmente agresivos), disminución del estado de alerta y disminución de la coordinación muscular.

Efectos a corto plazo de dosis grande Todos los efectos de la dosis baja se acentuarán con la adición de dificultad para hablar, respiración superficial y lenta, piel fría y pegajosa, latido cardiaco débil y rápido y sensaciones de resaca. La inconciencia puede pasar del sueño al coma y al final a la muerte.

Efectos a largo plazo del uso crónico o abuso Insomnio, confusión, irritabilidad, severos síntomas de abstinencia como ansiedad, insomnio, temblores, delirio, convulsiones y en ocasiones la muerte. La tolerancia al efecto sedante aumenta de manera que se pueden necesitar dosis más elevadas para lograr el mismo efecto. Por desgracia, la tolerancia a la dosis letal no aumenta de manera que uno puede aumentar la dosis a niveles fatales. La glutetimida (nombre comercial común, Doriden®) es similar a los barbituratos, pero como es de acción más prolongada, los efectos de una sobredosis son más difíciles de invertir. Pueden ser fatales.

nas no se da cuenta que algunas píldoras para dormir son, de hecho, tranquilizantes que se toman en dosis más elevadas a la hora de dormir. Entre ellas se encuentran nombres como Mogadon® o Dalmane®.

Por lo tanto, con el fin de familiarizarte con las drogas que alteran el estado de ánimo, por favor examina con cuidado las siguientes descripciones:

Muchas personas que toman tranquilizantes en realidad no comprenden qué son, qué pueden y no pueden hacer y cuáles son sus efectos a largo plazo. Son incluso menos las personas que saben cómo dejarlos una vez que los toman y si existe alguna alternativa natural y segura.

Los efectos de los medicamentos llamados colectivamente con el término general "tranquilizantes" no crean tranquilidad mediante "calmar" la mente atribulada.

Los tranquilizantes tienden a suprimir la personalidad completa de quienes los usan a largo plazo y, en el mejor de los casos, actúan sólo como un filtro con el que los sucesos diarios se perciben como menos amenazadores. Se debe comprender con claridad que *cualquier* suceso que perciba como causa de tensión, como desilusiones, discusiones o cualquier tipo de conflicto, se someterán a esta acción de "filtrado", sin importar si el individuo normalmente es capaz de hacerle frente.

De esta forma, la persona que toma los tranquilizantes no tiene posibilidad de ajustarse a la situación y, por lo tanto, se le niega cualquier oportunidad de aprender a enfrentar lo que bien podría ser un suceso normal y cotidiano.

Se recetan tranquilizantes a la mayoría de las personas porque tienen tensiones en su vida que no están manejando. Estas tensiones pueden ser emocionales, como problemas en casa o en el trabajo, problemas con dinero, fobias e inseguridades, o cualquier cantidad de factores que tenga impacto en nuestra vida. También hay tensiones físicas, bioquímicas y de nutrición que incluyen alergias, sensibilidades químicas, tensión premenstrual severa, infecciones de *Candida* y síndrome postviral.

TRANQUILIZANTES MENORES

De acción prolongada Nombres internacionales; son los nombres internacionales o los nombres de los ingredientes químicos activos. No son nombres de marca. La misma sustancia química puede tener nombres de marca diferentes en diferentes países y puede haber varias variaciones de las mismas sustancias químicas. Por ejemplo, el benzodiazepán es un grupo general de tranquilizantes, de los que el diazepán es uno. El nombre de marca común es Valium®.

Bromazepán, clordiazepóxido, clobazán, clorazepato dipotásico, dizepán, flunitrazepán, nitrazepán. Algunos nombres comunes de marca son: Librium®, Tranxene®, Valium®.

Usos médicos Alivio de ansiedad, tensión muscular y síntomas de abstinencia al alcohol.

Efectos a corto plazo de la dosis promedio Sedación leve, sensación de bienestar y aumento de la capacidad para hacer frente a situaciones. Puede causar dolor de cabeza y en casos raros puede tener un efecto paradójico de aumentar la ansiedad y la conducta hostil.

Efectos a corto plazo de dosis grande Somnolencia, visión borrosa, dificultades para hablar, estupor. Si se mezcla con alcohol, puede causar supresión de la respiración e incluso la muerte.

Efectos a largo plazo del uso crónico o el abuso Deterioro de las funciones sexuales, confusión, irritabilidad, síntomas severos de abstinencia que pueden aparecer varios días después de que se ha dejado de ingerir. Aumenta la tolerancia al efecto sedante, así que la persona puede necesitar tomar dosis más grandes para lograr el mismo efecto.

Síndromes de abstinencia Ansiedad, insomnio, temblores, delirio, convulsiones y en ocasiones la muerte.

De acción media Aprazolán, lorazepán, oxazepán, lormentazepán, temazepán. Tienen las mismas ventajas y desventajas de los tranquilizantes de acción prolongada.

Como la vida es tan tensa y las personas a menudo se sienten mal sin saber con exactitud por qué, muchas tienden a abusar de los tranquilizantes hasta el punto en que se vuelven adictas a ellos.

Adicción en relación con abstinencia

Una encuesta de 2001 llevada a cabo por el programa *Panorama* de la BBC reveló que se había recetado drogas tranquilizantes a largo plazo a más de millón y medio de adultos en el Reino Unido, a pesar de que el gobierno aconsejó a los médicos familiares en 1988 que no recetaran más de un suministro de cuatro semanas de benzodiazepanes. La investigación reveló que los médicos están recetando de manera rutinaria drogas que saben que pueden causar adicción y que tienen diversos efectos secundarios graves. Los resultados de la encuesta mostraron que 28 por ciento de los pacientes admitieron haber tomado estas drogas por más de diez años.

Se supone que los tranquilizantes te calman; son "ansiolíticos" que es un término médico para anti-ansiedad. Algunos médicos todavía creen que la mayoría de las personas que sufren de depresión también están ansiosas y, por lo tanto, a menudo recetan tranquilizantes a estos pacientes. De hecho, no existe evidencia de que los tranquilizantes tengan ningún tipo de uso contra la depresión como tal y muchas personas deprimidas que toman tranquilizantes terminan suicidándose.

Por lo tanto, ¿qué síntomas es probable que causen que se receten tranquilizantes a una persona? Aquí está una lista de los más comunes: sudoración excesiva, ataques de pánico, palpitaciones, incapacidad para dormir, temblores, hormigueo, temor, distorsiones de las percepciones, falta de concentración, falta de confianza y fobias.

Como dije antes, y como todos los libros de texto de medicina nos dicen, los tranquilizantes sólo deberían emplearse por breve tiempo. Sin embargo, a menudo la gente los toma por meses, incluso años y, cuando tratan de detenerse, encuentran que no pueden porque sufren de síntomas de abstinencia. Se han vuelto adictos.

¿Cuáles son los síntomas de abstinencia que causan que la gente siga tomando los tranquilizantes? Aquí está una lista corta de síntomas de abstinencia: sudoración excesiva, ataques de pánico, palpitaciones, incapacidad de dormir, temblores, hormigueo, temor, distorsiones de las percepciones, falta de concentración, falta de confianza, pesadillas, alucinaciones, convulsiones.

El ciclo de los tranquilizantes

Si tomas o piensas tomar tranquilizantes, deberías ser consciente de unos cuantos hechos:

- Los médicos a menudo recetan drogas, como Valium®, Serepax®, Ducene®, Mogadon®, Euhypnos® o Rhohypnol®, para personas que están preocupadas, tristes, que tienden al pánico o no pueden dormir.

- La causa de estos estados son temas como divorcio, pesar, violencia doméstica, trabajo aburrido o uno que es demasiado exigente, problemas de dinero o muchas otras tensiones físicas en tu cuerpo.

- El algunas ocasiones, tomar tranquilizantes puede ayudarte a superar una situación de crisis; sin embargo, tomarlos con regularidad no resolverá tu matrimonio, no pagará tu renta ni calmará a una pareja agresiva.

- Todos los tranquilizantes bloquean tus sentimientos. Sin sentimientos como enojo, ansiedad o tristeza, es menos probable que trates de hacer algo respecto a resolver tus problemas y superar la crisis.

- Los tranquilizantes hacen que tus problemas parezcan un poco más lejanos pero también pueden hacer que te sientas inquieto, afectar tu coordinación e interferir con tu habilidad para pensar con claridad y, en consecuencia, ¡para resolver cualquier problema!

- Entre más tiempo tomes tranquilizantes, menos efecto tienen y, de esa manera, la única forma en que podrás mantener la calma o dormir con facilidad es tomando más. Tu cuerpo adquiere tolerancia a la droga.

- Al final, encontrarás que no puedes funcionar muy bien sin ellos y que sufres de dependencia. Te has vuelto adicto.

No, no es un error de impresión. ¡Los síntomas que causan que se receten tranquilizantes a alguien tranquilizantes son muy similares a los que experimentará cuando trata de dejar de tomarlos!

Las personas que han tomado tranquilizantes por un tiempo pueden decidir dejarlos. Sin embargo, cuando empiezan a sentirse enfermas, a temblar visiblemente, a experimentar ataques de ansiedad o tener tanto miedo que no pueden dejar la casa, vuelven con su médico y a menudo se les receta dosis más elevadas de los tranquilizantes que causan estos síntomas de abstinencia. El siguiente paso inevitable es que el paciente se vuelve totalmente dependiente de las drogas y continúa con ellas de tiempo completo.

Como los síntomas que experimentan los pacientes cuando tratan de dejar de tomar tranquilizantes pueden ser muy severos, muchas personas renuncian y los siguen tomando. Sin embargo, la incidencia y gravedad de los síntomas de abstinencia puede reducirse en gran medida siguiendo un programa bien planeado que emplee alternativas naturales y otras terapias de apoyo.

Tranquilizantes naturales

Como hemos visto en la primera parte de este capítulo, existen muchas razones para que se receten tranquilizantes. Antes de que se recete cualquier medicamento, sea natural o no, es esencial encontrar la causa del problema y si en verdad los tranquilizantes beneficiarán tu problema.

Existen diversos nutrientes naturales conocidos como complementos saludables, que pueden ayudar a la gente y que se pueden ingerir en lugar de los tranquilizantes farmacéuticos. En muchos casos, estas alternativas naturales son efectivas y tienen pocos o ningún efecto secundario. Como todos los medicamentos, es necesario que los recete un terapeuta competente que esté familiarizado por completo con cualquier problema posible que pueda surgir.

En la actualidad, en las tiendas naturistas hay una gama sorprendente de complementos, como vitaminas, minerales y aminoácidos. Cada uno tiene una afirmación diferente: curar esto o aquello, hacer que estés delgada por siempre o evitar que tengas enfermedades cardiacas.

No es sorprendente que muchas personas estén confundidas y desilusionadas respecto a qué esperar de algunas de estas alternativas naturales. Hay un número creciente de personas que toman complementos con la esperanza de que proporcionarán una cura "milagrosa" para sus males. En el mejor de los casos, los complementos que pueden ayudar a la salud mental y física ¡no puede encontrarse esa salud en ellos!

A menudo, debido a resultados insatisfactorios con estos complementos, la gente consulta con terapeutas de la nutrición para verificar que estén tomando el complemento correcto, la dosis correcta y que la causa primaria del problema no esté oculta por los síntomas.

A continuación se encuentran algunas de las alternativas naturales de los tranquilizantes. Sin embargo, de nuevo, se debe enfatizar que cualquier complemento para cualquier tipo de trastorno del estado de ánimo debería tomarse sólo bajo supervisión profesional.

El exdirector de una compañía que dice que su vida se arruinó después de que se volvió adicto al Valium®, se ha vuelto una de las primeras personas en el país en recibir daños y prejuicios después de afirmar que se le recetó en exceso la droga. El poderoso tranquilizante le dejo severos efectos secundarios, como depresión suicida y ataques de pánico, obligándolo a renunciar al trabajo en una pesadilla que duró más de una década. Se le puso en un programa de tres años para sacarlo de Valium® y ahora ha ganado 40,000 libras en daños y perjuicios de su antiguo medico familiar.

Mike Waites, Corresponsal de Salud,
Yorkshire Post, 27 de junio de 2002

Fenilalanina

Uno de los antidepresivos naturales del cuerpo es feniletilalanina. Es una sustancia química que surge de la fenilalanina, que es un aminoácido común que se encuentra en muchos alimentos.

El cerebro también emplea la fenilalanina para hacer norepinefrina (noradrenalina) y para reducir la descomposición de los opiatos naturales (endorfinas y encefalinas) que son responsables, entre otros, de reducir la sensación de dolor. La fenilalanina se vende como complemento en forma de DL-fenilalanina. La DL-fenilalanina bien podría revolucionar el tratamiento de la depresión y el dolor insoluble. Puede ser un método muy exitoso para el control mediante nutrición de la depresión crónica y algunos tipos de dolor.

Los profesionales de la salud, las clínicas de tratamiento del dolor y los artículos de investigación científica han informado de resultados dramáticos en pacientes con depresión química, síntomas agudos de síndrome premenstrual y condiciones de dolor agudo, severo y crónico, incluyendo artritis reumatoide, dolor de espalda, migrañas y dolor de cabeza, dolor postoperatorio y neuralgia.

La fenilalanina es un aminoácido "esencial" que existe en los alimentos en dos formas llamadas D y L. Es más común en alimentos ricos en proteínas y podemos metabolizarlo y utilizarlo junto con sus subproductos con mucha facilidad. No es tóxico y se ha encontrado que es diez veces *menos* tóxico que la vitamina C.

La analgesia de la DL-fenilalanina requiere de dos a catorce días o más para que se produzcan sus resultados y son de larga duración. Después del tratamiento inicial, el paciente puede necesitar tomar DL-fenilalanina sólo unos cuantos días (lo común son alrededor de siete) cada mes. Funciona en lo que tal vez sea la forma "ideal", al intensificar y prolongar la duración de los analgésicos naturales del cuerpo (encefalinas y endorfinas).

Hace alrededor de veinte años se descubrió que el cerebro humano sintetiza un grupo de hormonas con propiedades muy similares a la morfina y el opio. En forma apropiada, al principio se les llamó los "opiatos propios del cerebro" y se encontró que surgían después de que se activaban las señales de dolor. Estas hormonas endorfinas son parte de un sistema innato natural de alivio del dolor que se activa en casos de tensión extrema. Es el sistema responsable de la pérdida de sensación de dolor cuando una persona que sufrió lesiones traumáticas encuentra que no se da cuenta de la extensión de sus problemas por varias horas después del suceso.

Uno de los problemas con las hormonas analgésicas y, de hecho, con muchas sustancias químicas naturales, es que existe una gama de enzimas en el cuerpo listas para destruirlas. La DL-fenilalanina inhibe varias enzimas que destruyen estas hormonas analgésicas naturales. La inhibición de estas enzimas permite a los analgésicos producir su efecto por un periodo más prolongado.

Otra consideración importante es que las personas que sufren de dolor crónico y depresión suelen tener una concentración menor de endorfinas. Se piensa que la DL-fenilalanina restaura la concentración de endorfinas a lo normal y por lo tanto, permite que los efectos de analgésicos normales de las sustancias del cerebro continúen por periodos más prolongados.

Una de las grandes ventajas de emplear sustancias naturales como analgésicos, en lugar de drogas, es que no se inhiben las se-

Alimentos que contienen fenilalanina

aguacate	leche
almendras	manzana
betabel	perejil
cacahuates	pescado (arenque)
carne de res	piña
chocolate	plátano
espinacas	pollo
frijol de soya	proteínas de soya
frijoles en salsa de jitomate	queso cottage
huevo	zanahoria
jitomate	

ñales normales, de corta duración, de dolor agudo, como resultado de golpearte el pulgar con un martillo o tocar agua hirviendo.

Contraindicaciones y advertencias

Aunque el uso de un analgésico natural, como fenilalanina, todavía es más seguro que emplear drogas farmacéuticas, debemos ejercer un cuidado extremo cuando comenzamos a juguetear con la química del cerebro.

En el Centro de Medicina Complementaria y Medioambiental hemos llevado a cabo una serie de pruebas y parece que la mayoría de las afirmaciones de la DL-fenilalanina son en verdad muy válidas. Sin embargo, estamos investigando sus efectos en la conducta y la conclusión preliminar es que lo deberían emplear con precaución las personas que sufren de trastornos psiquiátricos.

El doctor Richard Wurtman, neuroendocrinólogo del MIT, sugiere que una elevación en la fenilalanina podría bloquear por completo la elevación normal de la concentración de serotonina en el cerebro que sucede después de la ingestión de ciertas comidas. El estudio de Wurtman muestra que cuando se impide que se eleve la concentración de serotonina, esto engaña al cerebro para que desee más carbohidratos. Se podrá especular en este punto sobre el posible trastorno de los patrones de sueño y los cambios de estado de ánimo que podrían suceder por esto.

Las personas que sufran de fenilcetonuria no deberían tomar DL-fenilalanina y, en realidad, *cualquier* preparado que contenga fenilalanina. No se debe tomar durante el embarazo y se aconseja a las personas que tienen hipertensión (presión sanguínea alta) que lo tomen *después* de las comidas, en lugar de antes de ellas (como se debería tomar normalmente).

Magnesio

Demasiado nitrógeno (fertilizantes), exceso de fósforo (bebidas no alcohólicas), demasiado cobre (tuberías de agua) y hierro pueden causar un desequilibrio o deficiencia de magnesio.

El doctor Jerry Aikawa, del Centro Médico de la Universidad de Colorado, llevó a cabo varias pruebas y logró buenos resultados empleando el magnesio con tranquilizante.

Cuando la concentración de magnesio es demasiado baja, el sistema nervioso se irrita con facilidad. En alguna etapa, un individuo experimentará sensaciones de desorientación e incluso puede tener convulsiones. Los temblores musculares son un síntoma común y se puede invertir con la administración de magnesio.

El magnesio puede ser un depresor tan poderoso del sistema nervioso periférico que las dosis excesivas pueden causar músculos flácidos e incluso cierto grado de anestesia. Se ha descubierto en repetidas ocasiones que los pacientes con insomnio crónico, tensión nerviosa, ansiedad y tensión muscular tienen concentración baja de magnesio en la sangre.

También se ha demostrado el efecto tranquilizador de este mineral en animales, con lo que se contrarrestan las declaraciones de la influencia de placebo. El doctor Aikawa trató a un grupo de ca-

Alimentos ricos en magnesio

aguacate	frutas cítricas
ajonjolí	germen de trigo
almendras	jitomate (crudo)
arroz	lentejas
avena	maíz
cacahuates	melaza
cangrejo	nuez
carne de puerco	nuez de Brasil
carne de res	nuez de la India
cebada	papas
chabacano, deshidratado	pescado (lenguado, salmón, atún)
chícharos	
dátiles	pollo
durazno	verduras (de hoja comestible verde oscuro)
frijol	
frijoles de soya	zanahorias (crudas)
frijoles en salsa de jitomate	

ballos pura sangre, cuarenta y uno en total, de los que se sabía que dos eran muy nerviosos. Un análisis de la sangre de los caballos mostró que casi todos los nerviosos tenían baja concentración de magnesio. Una vez que este mineral se añadió a su dieta, los animales se calmaron considerablemente.

Vitamina B₁ (tiamina)

Un artículo del diario médico *Modern Medicine in Australia* describió cómo se encontró que un grupo de pacientes con síntomas como insomnio, cambios de personalidad, agresividad e irritabilidad era deficiente en vitamina B_1. Todos los pacientes parecían sufrir de ansiedad y todos ellos respondieron a los complementos de vitamina con una remisión completa de los síntomas o una mejoría importante en sus estados de ánimo. La vitamina B_1 actúa como coenzima en la descomposición de los carbohidratos al oxidar el ácido pirúvico. Si no hay suficiente vitamina B_1 disponible, se acumula el ácido pirúvico. Entonces se convierte en ácido láctico que la final se convierte en lactato.

La conexión entre lactato y ansiedad está bien documentada. Sabemos que la concentración alta en la sangre o una sensibilidad poco común a este subproducto natural del esfuerzo muscular y de los azúcares puede causar ataques de ansiedad a personas susceptibles. Una predisposición hereditaria o daño al hígado a temprana edad puede causar que algunas personas experimenten un estado de ansiedad de fondo, continuo y de bajo nivel.

A esta condición se le conoce como síndrome de ansiedad inducido por lactato (ver página 48) y a menudo se puede tratar con éxito con grandes cantidades de complemento de calcio, vitamina B_1 y manipulaciones de la dieta para reducir el piruvato.

Además de tener una demanda excesiva durante periodos de alto consumo de carbohidratos, se destruye a la vitamina B1 con los métodos de procesamiento de alimento, como calentamiento y oxidación.

Los álcalis también destruyen la vitamina B_1. Las personas que toman alcalinizadores estomacales (antiácidos) a menudo encuen-

---

Alimentos ricos en vitamina B$_1$ (tiamina)

avena	frijol de soya
aves de corral	germen de trigo
calabaza	leche
carne de puerco (hígado)	levadura (de cerveza)
carne de res (corazón, hígado,	nuez de Brasil
riñón)	pescado (macarela, perca,
cereales	huachinango)
chícharos y otras legumbres	semillas de girasol
cordero	trigo

---

tran que se vuelven irritables, lo que aumenta la acidez estomacal, el dolor de úlceras y la incomodidad abdominal. Entonces necesitan más antiácidos o alcalinizadores, y así se establece un círculo vicioso. El siguiente paso es la confusión mental y la depresión.

Estudios han mostrado que la deficiencia de vitamina B$_1$ en niños podría tener como resultado reducción del nivel del IQ. (*Nutrición*, H. Guthrie, profesor de nutrición, Universidad Estatal de Pennsylvania, C. V. Mosby, págs. 259-320).

> Un creciente número de personas jóvenes (en especial mujeres) son adictas a medicinas que se venden sin receta médica que las ayudan a hacer frente a las tensiones de la vida diaria. Se dice que más de 30,000 personas en Inglaterra están enganchadas en drogas que contienen opiatos y estimulantes que se pueden comprar en farmacias de calles principales sin una receta médica.
>
> *Independent on Sunday*, 3 de enero de 1999

Vitamina B$_{12}$ (cianocobalamina)

Se sabe que una deficiencia de esta vitamina causa anemia perniciosa. Lo que algunas personas no se dan cuenta es que la deficiencia de vitamina B$_{12}$ también se asocia con depresión, neurosis, algunas formas de esquizofrenia y psicosis.

La baja concentración de vitamina B_{12}, o histapenia, también causa la elevación en ácido pirúvico y, como hemos visto, puede conducir a que aumente el lactato en la circulación y a un estado de ansiedad. Sin embargo, la semejanza con la vitamina B_1 termina ahí.

Cualquiera de los siguientes factores puede contribuir a una deficiencia de vitamina B_{12}: mala absorción, síndrome de intestino irritable, baja acidez estomacal, ingestión excesiva de antiácidos, insuficiente factor intrínseco, dieta vegetariana estricta prolongada, abuso de alcohol y varios medicamentos de receta médica como los anticonvulsivos.

Las personas que tienen trastornos emocionales asociados a la deficiencia de vitamina B_{12} se conocen como histapénicos por la baja concentración de histamina del cerebro (otro neurotransmisor) que esta condición puede causar. (Para más información sobre los histapénicos, ver la página 44.)

Vitamina B_6 (piridoxina)

El ácido gamma-aminobutírico (GABA) es uno de los neurotransmisores responsables de reducir la actividad química del cerebro. Otro neurotransmisor, el ácido glutámico, es responsable de provocar la actividad química.

Alimentos ricos en vitamina B_{12} (cianocobalamina)

arenque	macarela
atún	mariscos
carne de puerco (corazón, hígado)	pollo
	queso (cheddar, crema)
carne de res (riñones, hígado)	salmón
	sardinas
ciruela pasa	yema de huevo
leche	yogurt

La fabricación de GABA es confiable con un suministro amplio de vitamina B$_6$ y sólo por esta razón es a menudo útil como tranquilizante.

Sin embargo, existe otro factor importante que también ayuda a explicar el papel de la vitamina B$_6$ y sus efectos sedantes. GABA (el neurotransmisor inhibidor) se forma con ácido glutámico (el neurotransmisor excitador) en presencia de vitamina B$_6$, se forma menos GABA y la concentración de ácido glutámico se eleva en consecuencia, causando irritabilidad del sistema nervioso central. Sin embargo, existe vitamina B$_6$ en abundancia, entonces se forma gran cantidad de GABA, lo que ayuda a sedar o "calmar" el cerebro.

Al mismo tiempo, un exceso de vitamina B$_6$ podría agotar las reservas de ácido glutámico hasta el punto en que se puede deteriorar la excitación apropiada y, en consecuencia, las funciones de percepción del sistema nervioso.

Alimentos ricos en vitamina B$_6$ (piridoxina)

aguacate	huevo
arroz	leche
cacahuates	leche de vaca
cangrejo	lentejas
carne (de res, jamón, puerco)	levadura (de cerveza)
	melaza
cebada	naranjas
chícharos	nuez de Brasil
ciruela pasa	papas
espinacas	pescado (bacalao, lenguado, arenque, macarela, salmón, sardinas, atún)
frijol	
frijol de soya	
frijoles	queso
germen de trigo	salvado de trigo
harina integral	semillas de girasol
hígado (de puerco)	zanahoria

(Para más información sobre GABA, ácido glutámico y vitamina B_6, ver la página 24.)

Zinc

Este mineral tiene un efecto tranquilizante en nuestros nervios y también contrarresta el cobre. Por el extenso uso de tuberías de cobre para agua, muchos científicos ortomoleculares sienten que algunas personas podrían sufrir de sobrecarga de este mineral.

El cobre excita el sistema nervioso y podría ser una de las razones de que el zinc sea un auxiliar muy útil al usar otros tranquilizantes naturales.

Por lo general, los vegetales congelados tienen deficiencia de zinc. Algunas dietas ricas en fitatos de soya causan absorción deficiente de zinc. El abuso del alcohol a menudo causa deficiencia de zinc como todo lo que tienda a irritar el recubrimiento del intestino, como antibióticos, alergias a los alimentos e infestaciones de *Candida*.

Alimentos ricos en zinc

arenque	huevos
arroz, integral	leche
atún	levadura (de cerveza)
avena	nuez de Brasil
cangrejo	ostras
carne de puerco	riñones
cereales	salvado
cordero	semillas de calabaza
hígado (de res)	semillas de girasol
hongos	ternera

Vitamina C (ácido ascórbico)

La mayoría de las personas asocian la vitamina C con el tratamiento o prevención de resfriado común, influenza e infecciones virales.

Lo que es menos conocido es el hecho de que aunque las células cerebrales no pueden hacer vitamina C, la concentración de esta vitamina en el cerebro es más elevada que en cualquier órgano excepto las glándulas suprarrenales (las glándulas responsables de nuestras respuestas a la tensión).

De acuerdo al pionero de la psiquiatría ortomolecular, el doctor Abraham Hoffer, la vitamina C es tan activa como algunos de los medicamentos psiquiátricos más poderosos en uso en la actualidad simplemente porque actúa como bloqueadora del receptor de dopamina.

Peso a peso, actúa con tanta efectividad como Haldol®, un antagonista de la dopamina que se utiliza ampliamente en el tratamiento de diversas formas de psicosis. Las concentraciones altas de dopamina en el cerebro se asocian con agresividad, irritabilidad y diversas condiciones psiquiátricas como esquizofrenia.

Con el fin de que la vitamina C pueda ser efectiva en el cerebro, se debe administrar en dosis enormes de forma que al menos un poco se vea forzado, por la acción de masas, a cruzar la barrera hematoencefálica.

Alimentos ricos en vitamina C (ácido ascórbico)

alfalfa	melón
bayas (arándano, grosella, frambuesa y fresa)	nuez de Brasil
	ostras
brócoli	papas
camote	pimiento
coles de Bruselas	plátano
coliflor	riñones
espinacas	sandía
frutas cítricas (limones, naranjas, jitomates)	verduras
	verduras (hojas comestibles verdes)
guayaba	
hígado (de res)	

A treinta y cuatro por ciento de las mujeres británicas se le ha recetado tranquilizantes o píldoras para dormir en algún momento... Setenta y cinco por ciento de los trece millones de recetas escritas anualmente para tranquilizantes son para mujeres. Esto significa que cada año casi diez millones de mujeres toman tranquilizantes.

Doctora Norma Williams y Hetty Einzig,
La Nueva Guía para la Salud de las Mujeres, 1985

Vitamina B₃

Existen dos tipos de vitamina B_3 y cada uno tiene dos nombres: niacina, también conocida como ácido nicotínico, y niacinamida, también conocida como nicotinamida.

En 1979, H. Moler y su grupo de investigación en la compañía Hoffman-La-Roche (la compañía farmacéutica suiza responsable del Valium®) descubrió que la nicotinamida es: "...un componente del cerebro con actividad similar a la de la benzodiazepina... sólo la nicotinamida mostró los efectos centrales neurofarmacológicos principales característicos de las benzodiazepinas, aunque, como sólo 0.3 por ciento entra al cerebro, se necesitan dosis más bien altas para producir efectos".

Benzodiazepina es el nombre técnico para un grupo de sustancias químicas que se emplean como tranquilizantes menores, como Valium®. Con el fin de que la vitamina B_3 sea efectiva en cualquier actividad del sistema nervioso central, se debe administrar en megadosis de manera que al menos un poco se vea forzado, por la acción de masas, a cruzar la barrera hematoencefálica.

Como la nicotinamida tiene propiedades en común con el Valium® y los barbituratos, es claro que podría ser valiosa como relajador anticonvulsivo de los músculos, en especial cuando se administra junto con magnesio, y como tranquilizante.

Éstas son algunas de las razones de que a veces recetemos megadosis de vitamina B_3. Sabemos bien que tales dosis elevadas son necesarias para lograr cualquier efecto en el sistema nervioso central.

El ácido nicotínico (niacina) tiene propiedades totalmente diferentes: es muy útil como parte de cualquier programa de tratamiento para la mayoría de las esquizofrenias, senilidad y alcoholismo pero no parece tener los mismos efectos calmantes de la niacinamida. Esto tal vez se deba a que la forma que se encuentra naturalmente de vitamina B_3 en el cuerpo humano es el dinucleótido de nicotinamida que contiene niacinamida, no niacina.

Inositol

Factor de nutrición poco conocido que por lo general se supone que es parte de las vitaminas del grupo B y que algunos terapeutas han informado que ejerce un poderoso efecto tranquilizador.

4

Depresión

Melancolía y muerte, tristeza y locura, melancolía, estar de capa caída, languidez, aflicción… la depresión tiene muchos nombres y a menudo se describe como el resfriado común de la psiquiatría. Es un problema muy común y, de hecho, es raro el individuo que no se siente deprimido en uno u otro momento.

Sin embargo, cuando los psiquiatras hablan de depresión, hablan de un estado clínico de enfermedad del que existen muchos tipos y cada tipo de depresión tiene varios síntomas.

El tipo de depresión que se diagnostica depende de los síntomas, del análisis de los antecedentes del paciente y tal vez de algunas pruebas psicológicas y de otros tipos. Luego, se receta un tratamiento apropiado. Por desgracia, incluso si parece muy simple, no lo es.

La depresión puede ser unipolar o "simple" y bipolar. A la depresión bipolar también se le conoce como depresión maniaca y a una variante se le llama psicosis maniacodepresiva. También existe una variación de psicosis maniacodepresiva conocida como síndrome de trastorno afectivo estacional. También existe la depresión postparto además de depresión endógena (desde el interior o espontánea, si lo prefieres) y reactiva.

Depresión reactiva significa que estás deprimido porque *ésa* es la forma en que reaccionas a algo que te ha sucedido. Aunque los psicólogos compilan con regularidad listas interminables de las causas de depresión reactiva, el hecho es que algunas situaciones afectan a algunas personas más que a otras. Algunos de nosotros parecemos no dejarnos afectar por los sucesos adversos mientras que otros parecen deprimirse siempre que la situación no marcha con facilidad. Si se considera la infinita variedad de los humanos, es totalmente comprensible. Es sólo cuando un individuo no puede recuperarse después de que ha pasado el suceso que lo causó, de que un estado de depresión permanente se convierte en una enfermedad clínica.

La mayoría encontramos que muchas de las etiquetas y términos empleados por los psicólogos y psiquiatras son muy confusas y no ayudan mucho a encontrar la raíz de la depresión.

La causa de la depresión puede ser casi todo: reducción de la respuesta inmune, candidiasis, abuso del alcohol o alcoholismo, deficiencia de vitamina B_{12}, desequilibrio o deficiencia de diversos minerales, nutrientes y aminoácidos, diferentes tipos de anemia, mala absorción o alergias a los alimentos.

Las personas deprimidas pueden volverse obsesivas o indolentes, apáticas o compulsivas, perezosas o adictas al trabajo. De hecho, la gama de reacciones individuales a la depresión es casi tan variada como la naturaleza humana. Lo único que tienen en común es la depresión. Por supuesto, existen algunas causas bien reconocidas para la depresión.

A menudo sucede que muchas personas que tienen depresión también tienen sobrepeso. El terapeuta siempre debe tratar de determinar si algún individuo en particular está deprimido *porque* tiene sobrepeso o si es al contrario. El hecho es que los dos parecen ir unidos.

Las pruebas de valoración especiales, como la prueba diagnóstica de Hoffer y Osmond, son muy apropiadas para descubrir la verdadera depresión clínica. A continuación están algunas de las de que la depresión pueda conducir a que aumente el peso y una discusión sobre algunas de las causas comunes de depresión.

Contacto, tirosina, depresión y aumento de peso

En la actualidad, sabemos que la tensión en general puede causar que se agote la concentración del cuerpo de noradrenalina (también llamada norepinefrina). Las concentraciones bajas de noradrenalina se asocian con depresión. Emplear drogas que no elevan la concentración de noradrenalina para este tipo de depresión no ayudará a aliviar el problema.

Los terapeutas familiarizados con la psiquiatría de la nutrición (ortomolecular) también saben que los nutrientes que son útiles en otras situaciones, como vitamina B_6, triptofano y zinc, y dietas ricas en carbohidratos complejos, como vegetarianismo o

Alimentos que contienen tirosina

aguacate	higo
alfalfa	huevo
almendras	leche
aves de corral	lechuga
berro	manzana
betabel	pepino
cacahuates	perejil
carne de pollo	pescado (arenque)
carne de res	pimiento
cerezas	plátano
chabacano	proteínas de soya
chocolate	puerro
espárragos	queso
espinacas	queso cottage
fresas	sandía
frijol de soya	yogurt
frijoles en salsa de jitomate	zanahoria

dieta Pritikin, no resolverán por lo general este tipo de depresión y puede, en algunos casos, empeorarla. Por el otro lado, sabemos que siempre que la tensión es un factor que contribuye mucho a la depresión clínica, tal vez la tirosina sea el tratamiento de elección.

La depresión a menudo, aunque no siempre, va de la mano con la presión sanguínea baja, bajo nivel de azúcar en la sangre, bajo funcionamiento de tiroides (todo lo cual contribuye al aumento de peso) y bajo funcionamiento de glándulas suprarrenales.

La tirosina puede normalizar la presión sanguínea, estimular la tiroides y contribuir a la estabilización del azúcar en sangre mediante el apoyo de las suprarrenales. Los pacientes que sufren de este tipo de depresión a menudo tienen deseo de muchos diferentes tipos de alimentos y aunque entre ellos pueden encontrarse dulces, también puede haber un fuerte deseo de queso, chocolate y otros alimentos que contengan tirosina.

Si la digestión está dañada (por ejemplo, como en estados de poco ácido clorhídrico o candidiasis intestinal), entonces la tirosina de la dieta se convierte en tiamina. La tiamina estimula las glándulas suprarrenales y causa mayor agotamiento de las reservas de noradrenalina, mientras que al mismo tiempo priva a glándulas como la tiroides de la tirosina necesaria. El siguiente diagrama nos muestra esta relación.

La tirosina es uno de los tres aminoácidos aromáticos (los otros dos son fenilalanina y triptofano) que cruzan la barrera hematoencefálica. La concentración de tirosina en el cerebro es dependiente de alguna forma de la ingestión en la dieta. Sin embargo, sólo tomar complementos de tirosina no es suficiente para elevar la concentración.

Como la mayoría de los aminoácidos, el transporte de la tirosina de la sangre al cerebro es muy competitivo con otros aminoácidos, en especial los aminoácidos ramificados (leucina, isoleucina y valina). Junto con el triptofano, todos estos aminoácidos inhiben la ingestión de tirosina en el cerebro. Por lo tanto, es más probable que la tirosina sea benéfica si se ingiere con el estómago vacío.

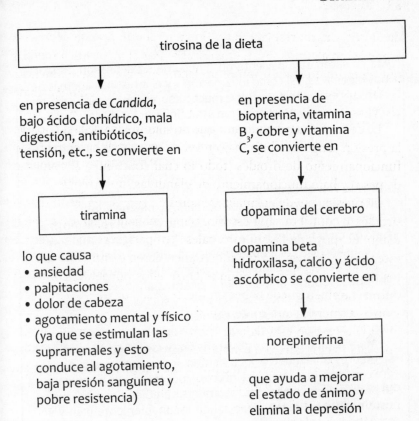

El metabolismo de la tirosina depende de una forma de ácido fólico (biopterina) y un tipo de vitamina B_3 (NADH) además de cobre y vitamina C. Una vez que la tirosina llega a las neuronas, se convierte en dopamina y luego en norepinefrina que ayuda a eliminar la depresión.

Sin embargo, este último pero crucial paso depende de la presencia de una enzima (tirosina hidroxilasa) en la terminación nerviosa presináptica. La disponibilidad de la enzima, y en consecuencia, la producción de norepinefrina útil, depende de la cantidad de actividad eléctrica en el nervio.

El caso de Mary X

Me enviaron esta paciente porque sufría de depresión, trastornos digestivos, así como inflamación y gas intestinal, además de diarrea y estreñimiento. Tenía mucho sobrepeso pero negaba comer en exceso y no sentía gran atracción por los dulces. Tendía a mostrarse ansiosa, temerosa y algo temblorosa. Su estado mental fue de confusión y se describió como "incapaz de hacer frente a nada". Su piel tendía a ser seca, su sangre menstrual a menudo tenía coágulos, sufría de erupciones recurrentes de la piel, sus senos se volvían sensibles antes de su periodo y sentía el frío con facilidad y siempre se quejaba de manos y pies helados.

Ella mostraba muchos de los síntomas de hipotiroidismo (baja función de la tiroides). Una prueba de temperatura basal confirmó este hecho. El diagnóstico original, que realizó el médico que la envió, había sido candidiasis (sistémica) y de hecho, una dieta libre de levaduras unida a medicamentos antimicóticos mejoró la mayoría de sus síntomas digestivos y su piel. Sin embargo, todavía tenía dificultades para perder peso y todavía estaba muy deprimida y algo ansiosa.

Mary estaba bajo una gran tensión personal en su relación y su madre había muerto poco tiempo antes. Una prueba de sangre confirmó que tenía una infección por levaduras no muy fuerte pero cuando analicé los resultados, también descubrí que su sistema inmune estaba trabajando razonablemente bien y encargándose de la situación.

Le pedí a Mary que fuera con un masajista competente y sugerí que podría tener un masaje todos los días. También le dije que le pidiera a su pareja que la abrazara mucho. Manteniendo todo en una forma más bien ligera, discutí el asunto con su pareja y le expliqué que Mary no era "neurótica" ni tenía una enfermedad mental, sino que sufría de diversos problemas bioquímicos y nutricionales que se podían superar con facilidad. Le aseguré que pronto estaría bien y le expliqué que su cooperación haría que esto sucediera mucho más rápido.

Además de los abrazos y tactos extra, se recetó a Mary complementos de tirosina que debía ingerir en la mañana y de nuevo a media mañana... siempre con el estómago vacío. En cuatro semanas, Mary había perdido 3 kilogramos, ya no estaba deprimida y la mayor parte de su ansiedad era algo del pasado.

Ahora bien, si algo te toca, los impulsos nerviosos se transmiten del punto del impacto al cerebro. En consecuencia, quiropráctica, osteopatía, masaje, acupuntura, caricias, tacto o cualquier contacto físico causará un aumento de los impulsos nerviosos eléctricos. Esto aumentará la cantidad de la enzima, tirosina hidroxilasa, que es necesaria para producir el neurotransmisor químico contra la depresión: norepinefrina.

Además, la tirosina es el precursor de la hormona tiroides. La baja función de la tiroides tiende a ir de la mano con estrógenos altos y no suficiente vitamina E. Esta combinación causa mala circulación, aumento de peso, metabolismo bajo y falta de libido.

Hay muy poca tirosina en cereales, semillas, fruta, verduras o aceites. Las concentraciones más elevadas se encuentran en animales salvajes y yogurt.

La tirosina tiende a elevar la presión sanguínea en personas que sufren de baja presión sanguínea y a bajarla en quienes sufren presión sanguínea alta: ejerce un efecto adaptogénico y normalizador.

Contraindicaciones y advertencias

La tirosina, como con la mayoría de los aminoácidos aromáticos, podría estar contraindicada en algunos tipos de esquizofrenia. Los médicos ortomoleculares se dan cuenta de las contraindicaciones de los complementos de aminoácidos en la psicosis y valoran a cada paciente con mucho cuidado antes de administrar megadosis.

Se consideran con cuidado las pruebas de valoración psiquiátrica, como la prueba diagnóstica de Hoffer y Osmond, junto con unos antecedentes médicos completos y tantos detalles como sea posible sobre los efectos de medicamentos previos. En algunos casos, por supuesto, es muy razonable llevar a cabo pruebas cortas con diferentes aminoácidos ya que la respuesta, o su falta, por lo general indica el problema bioquímico subyacente.

Sólo se debería seguir este tipo de tratamiento bajo la guía estricta de un médico calificado en nutrición ortomolecular que esté familiarizado con este tipo de psiquiatría ortomolecular (también conocida como terapia de precursores).

Por otro lado, se pueden eliminar la mayoría de los efectos benéficos de la tirosina, o los efectos secundarios de una sobredosis, mediante la administración de grandes cantidades de aminoácidos neutrales. La cafeína tiende a reducir la concentración en plasma de tirosina y podría, por lo tanto, aumentar los efectos de la tensión en general.

Tirosina y cáncer

No es nueva la idea de que ciertos tipos de cáncer necesitan aminoácidos específicos para prosperar. Ya desde la década de 1960 se llevaban a cabo pruebas con dietas pobres en fenilalanina en un intento por "matar de hambre" las células cancerosas. El éxito con este tratamiento fue menor a lo esperado.

Existen ciertas formas de cáncer, como los melanomas malignos y el glioblastoma multiforme, en que se sabe que las células de cáncer absorben tirosina a gran velocidad. Por lo tanto, sería prudente no emplear este aminoácido bajo estas circunstancias a menos que las posibles ventajas superen con claridad el riesgo potencial.

Triptofano y depresión

Por supuesto, existen algunos tipos de depresión que responden mal o nada a la tirosina y que requieren triptofano en su lugar.

Las pistas para las depresiones que no dependen de la tirosina son muy simples: las personas que las tienen desean vehementemente, sin poderlo evitar, dulces y consumen carbohidratos (complejos o simples) en toda oportunidad. Siempre que se sienten hambrientos, y por lo general es a media tarde y al anochecer, escogerán carbohidratos. A menudo tendrán emparedados gigantes en horas infames. No es importante el contenido, ¡sólo el pan!

EL CASO DE PAMELA X

Pamela sufría tensión premenstrual y depresión durante su periodo. Después de entrevistarla, decidí que la causa de su síndrome premenstrual no era la tensión sino una combinación de concentraciones altas de estrógeno y depresión. También tenía sobrepeso y deseaba vehementemente dulces, en especial antes de sus periodos.

A Pamela le resultaba difícil quedarse dormida, sin embargo necesitaba dormir mucho para funcionar en el trabajo; algo que era cada vez menos y menos capaz de lograr. Su libido había desaparecido y las flores y cenas de su marido no ayudaban en nada a despertar una chispa sexual de parte de Pamela.

Receté una fórmula de complejo B, gran cantidad de aceite de primavera y triptofano en forma de tableta que se debía tomar a la hora de dormir con el estómago vacío, junto con una cucharadita de miel. También le di magnesio para tomar todos los días comenzando a la mitad de su ciclo menstrual y dejarlo al final, y dosis regulares de vitamina E y calcio.

Tres meses después, había cesado la depresión de Pamela, había perdido peso y había vuelto su libido.

Alimentos que contienen triptofano

alfalfa	frijol de soya
apio	frijoles en salsa de jitomate
berro	hinojo
betabel	huevo
brócoli	leche
camote	nabo
carne	nueces
cebolletas	pavo
coles de Bruselas	pescado
coliflor	pollo
escarola	queso cottage
espinaca	zanahoria

Como regla general, estos pacientes deprimidos suelen tener problemas para dormir y por lo general responden bien al triptofano, otro aminoácido que cruza al cerebro a través de la barrera hematoencefálica.

El triptofano también procede de las proteínas, pero a diferencia de la tirosina, requiere de la presencia simultánea de carbohidratos con el fin de entrar al cerebro. Una vez que entra al cerebro, se convierte al triptofano en serotonina que es un neurotransmisor que puede eliminar algunos tipos de depresión, inducir aletargamiento y estimular las funciones inmunes.

Es interesante que la misma combinación de deseo vehemente de carbohidratos y depresión se pueda encontrar en personas que tienen bulimia y varios tipos de síndrome premenstrual. Muchos casos de síndrome premenstrual responden bien a los complementos orales de triptofano.

También es interesante notar que muchos antidepresivos causan que las personas suban de peso y los científicos pasan algo de tiempo buscando una droga que no cause este efecto secundario. La fuoxetina (nombre de marca, Prozac®) anunció una nueva clase de medicamentos antidepresivos, ¿y qué cree? Ejercen su efecto antidepresivo al aumentar artificialmente la concentración en el cerebro de la serotonina (el producto del triptofano).

Luz solar y depresión

La ciencia que se encarga de nuestros relojes y ritmos biológicos se llama cronobiología. Es un área creciente de investigación y hallazgos recientes sugieren que el momento exacto de la ingestión de alimento, los modelos de sueño e incluso la hora en que se administran los medicamentos podrían ser mucho más importantes de lo que habíamos pensado antes.

Estoy seguro que sabes que se supone que experimentamos una elevación del estado de ánimo en la primavera. Es el momento del año en que se supone que nuestras hormonas se elevan, se ponen en acción y nos impulsan a tonterías humanas como perseguir miembros del sexo opuesto y otras fallas hedonistas del sentido común.

Esta noción, enterrada profundamente en la cultura popular, tiene mucho de cierto. Conforme los días se hacen más largos y las horas de oscuridad empiezan más tarde, las flores silvestres sacan la cabeza fuera del suelo, desaparece la tristeza del invierno y parecen estar disponibles nuevos arranques de energía para cuando los necesitemos. Esto a menudo sucede a personas que pasan casi todos los meses del invierno en un estado de hibernación mental... un tipo de nieve mental que los vuelve lentos y causa que se sientan deprimidos.

Ahora sabemos que mucha gente que sufre de tristeza todo el invierno pero que tiene un indulto todas las primaveras sufre de síndrome de trastorno afectivo estacional. La causa de sus problemas, y su recuperación espontánea anual, está vinculada a la glándula pineal.

LA GLÁNDULA PINEAL Y LA NATURALEZA

Casi todos los reptiles, anfibios, aves, peces y mamíferos tienen glándula pineal y los pocos que no tienen, poseen células que realizan las mismas funciones.

La glándula pineal ha sido parte del mundo animal por al menos 500 millones de años y unos órganos tan antiguos y diseminados no están ahí sólo por el viaje evolutivo.

La importancia de las funciones de esta pequeña glándula se puede comprender observando que cuando se elimina mediante cirugía altera la fisiología y conducta de cualquier animal profundamente. Los ciclos de crianza se estropean o se detienen por completo. Los peces pierden su coloración protectora, volviéndolos presa fácil de los depredadores. Ranas y ardillas ya no pueden ajustar su temperatura corporal y las aves pierden el deseo de migrar. Incluso afecta a los venados haciendo que les crezcan los cuernos en el momento equivocado.

La glándula pineal parece ajustar toda la fisiología de los animales a su medio ambiente.

Llamada así por su forma (es un poco como un cono de pino), la glándula pineal es más pequeña que una tableta de aspirina y en la actualidad se reconoce como la sede de nuestro reloj biológico. Es el órgano responsable de nuestros ritmos diarios (circadianos), las temporadas de apareamiento de la mayoría de los animales y también los cambios diarios y estacionales en funciones bioquímicas.

La glándula pineal es un "transductor neuroendócrino"... convierte las señales de llegada, como la luz, en impulsos nerviosos que a su vez estimulan las glándulas endocrinas para producir una auténtica cascada de hormonas.

Estas hormonas controlan, afectan y modifican casi todos los aspectos de la fisiología, bioquímica y conducta de los animales. Cuando las señales luminosas son escasas o están ausentes, la glándula pineal activa dos de sus enzimas residentes, N-acetil transferasa e hidroxiindol-O-metiltransferasa. Estas enzimas entonces empiezan a convertir la serotonina en la hormona melatonina. Si eres susceptible, y es obvio que quienes tienen síndrome de trastorno afectivo estacional sí lo son, la falta resultante de serotonina causa que te deprimas. Con la llegada de la primavera y más luz de día, el proceso se invierte y hay un elevamiento del estado de ánimo.

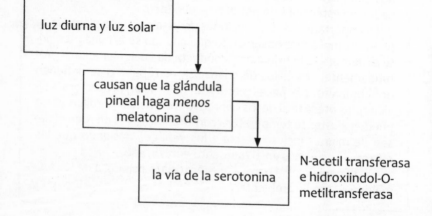

Como resultado del proceso que se muestra aquí, está disponible más serotonina para frenar el apetito en general y de los carbohidratos y dulces en particular. Uno duerme mejor y tiende a estar menos deprimido.

A pesar de todas las funciones importantes que tiene la glándula pineal, no es, como se creyó en un tiempo, el control maestro. De hecho, es un esclavo bajo el control de otro "reloj maestro": el núcleo supraquiasmático. Esta masa de células cerebrales especializadas, controlan la producción nocturna de N-acetil transferasa.

Muchos animales hibernan durante el invierno y también es el final de cualquier impulso de cruzarse que tengan los animales. Ahora se cree que el proceso de hibernación se activa mediante la melatonina y, como hemos visto, el cerebro usa serotonina para hacer melatonina.

Cuando las horas de luz de día se vuelven más cortas, la pineal produce más melatonina y aumenta la incidencia de depresión del síndrome de trastorno afectivo estacional. Además de ser una buena razón para extender el horario de verano, es interesante notar que el aumento de serotonina tiene un papel en estimular el sistema inmune.

Alguna vez has notado que cuando estás enfermo, en especial cuando tienes una enfermedad viral como un caso grave de gripe, tiendes a dormir mucho. El cuerpo sabe que tu sistema inmune necesita un poco de fortalecimiento y aumenta la concentración de serotonina, lo que hace que tengas sueño. Esto a su vez causa que conserves la energía y así continúa el ciclo.

Saber que la luz de sol disminuye la melatonina y, en consecuencia, aumenta la concentración de serotonina en el cerebro, podría ayudar a explicar por qué tomar sol en exceso causa que te sientas adormilado, mientras que una caminata enérgica en un día soleado hace que te sientas más alerta.

Luz solar en relación con la luz artificial

La luz artificial no es tan buena como la luz natural, en especial las luces fluorescentes. Para producir los efectos requeridos de la luz natural, se deberían usar luces de todo el espectro. Millones de personas, en especial en los climas más fríos, pasan gran parte de su vida diaria bajo alguna forma de luz artificial. Los bulbos de luz emiten luz que es muy diferente a la luz del sol. La luz solar despide una gama completa de colores además de luz ultravioleta e infrarroja. Los bulbos de luz incandescente emiten sólo las porciones de amarillo, anaranjado y rojo del espectro.

Las luces fluorescentes funcionan al pasar una corriente por un tubo lleno con gas argón y vapor de mercurio que despide una luz azulada. Se puede hacer que las luces fluorescentes emitan cual-

---

El caso de John X

Me envió a John uno de mis antiguos estudiantes. "Es claro que John sufre de hipoglucemia" me dijo mi ex estudiante al teléfono. "Se pasa hasta un mínimo de cuatro horas sin una comida, sufre dolor de cabeza, se agota su cerebro y se vuelve taciturno en extremo. Sin embargo, cuando le pedí que evitara los carbohidratos refinados y aumentara la ingestión de proteínas, se encontraba muy cansado y deprimido. Cambié su dieta para incluir carbohidratos más complejos y mejoró de alguna manera, pero aumentó de peso. Luego tuvo que salir de negocios por unas cuantas semanas (a mitad del invierno) ¡y para cuando volvió tenía tendencias suicidas!"

John me explicó que en cuanto llegó a su destino, estaba casi frenético por encontrar algo de helado. A menos que comiera algunos dulces, se sentía terriblemente deprimido. Su trabajo lo mantenía bajo techo casi todo el día y, cuando iba a su habitación en la noche, pasaba varias horas trabajando bajo luz artificial.

John tenía síndrome de trastorno afectivo estacional. Le receté complementos de triptofano, calcio, vitamina B_3 y sugerí que pasara al menos un par de horas cada día caminando al aire libre. También le expliqué que no debía pasar demasiado tiempo bajo la luz fluorescente y debería tratar de cambiar las luces de su casa y oficina por el tipo de espectro completo.

quier combinación de colores; sin embargo, los primeros creadores decidieron emplear las porciones de amarillo y verde del espectro porque el ojo humano es más sensible a ellas. Esto es, la característica luz "blanco frío" con que estamos todos tan familiarizados.

Los fotobiólogos están descubriendo ahora que pasar mucho tiempo expuestos sólo a las porciones "blanco frío" del espectro de luz puede trastornar la delicada bioquímica humana al alternar la proporción de hormonas. También puede causar mala absorción y deficiencia de calcio además de la necesidad de vitamina A adicional. La luz fluorescente sin protección también puede añadir radiación ultravioleta y, por lo tanto, las personas sensibles pueden volverse más susceptibles a cáncer de piel.

Sustancias químicas y depresión

Pregunta a cualquiera cuáles piensan que son las causas de la depresión y escucharás muchas respuestas similares: falta de dinero, trabajo excesivo, relaciones infelices, tensión… y la lista continúa. Pregunta a un profesional con conocimientos generales de ciencia y medicina y la lista será similar pero con puntos extra como factores hereditarios, mala función del cerebro o enfermedad grave. Médicos o psiquiatras añadirán diversos complejos desequilibrios de la química del cerebro (neurotransmisores), traumas de la infancia y varias enfermedades a esta lista.

Sin embargo, si le preguntaras a un experimentado practicante de medicina ambiental o a un psiquiatra ortomolecular, sabrías que la causa de la depresión también pueden ser alergias o intolerancias a diversos alimentos, inhaladores o sustancias químicas, o desequilibrios de la nutrición o deficiencias de vitaminas, minerales y aminoácidos. También existen diversas condiciones que no parecen relacionadas, como infecciones de *Candida*, síndrome de intestino irritable y síndrome postviral, que pueden causar depresión. La exposición a largo plazo y de bajo nivel a sustancias químicas tóxicas y externas (xenobióticos), seas alérgico o no a ellas, también pueden causar depresión. (Por supuesto, lo mismo se aplica a la exposición excesiva a corto plazo.)

Síndrome de sensibilidad profunda

Mientras que todos encontramos personas que son *muy* sensibles en lo emocional (el tipo que llora por lo que sea), parece haber una cierta proporción de la población que es muy sensible a una amplia gama de factores en el medio ambiente. A este problema se le llama síndrome de sensibilidad profunda. Por lo general, las personas que tienen síndrome de sensibilidad profunda son creativas, artísticas, muy perceptivas y sensibles en lo emocional.

Algunos creen que es más probable que las personas con síndrome de sensibilidad profunda sufran de enfermedades autoinmunes como lupus, esclerosis múltiple y artritis. Como muchas personas que tienen síndrome de sensibilidad profunda perciben muchos sucesos como estresantes que otros considerarían triviales, a menudo sufren las consecuencias físicas de tensión crónica de bajo nivel. Los médicos ambientalistas han añadido una nueva dimensión a esta proposición. Sostienen, de manera convincente en mi opinión y experiencia clínica, que las personas que son inherentemente hipersensibles en lo emocional son las que mayores probabilidades tienen de ser susceptibles a los contaminantes del medio ambiente y a los xenobióticos. De hecho, a menudo los síntomas neuropsiquiátricos, como depresión, ansiedad y paranoia, son las primeras manifestaciones que se notan de alguna enfermedad física.

Factores hereditarios, enfermedades pasadas o estilo de vida, pueden causar que el sistema nervioso de algunas personas sea más susceptible a agentes virales o químicos. Por lo general, este daño se manifiesta como cambios del estado de ánimo, agitación, sentirse "drogado", concentración deficiente y deterioro de la memoria. Todos son señales de depresión del sistema nervioso central.

Los especialistas de la enfermedad ambiental también creen que la sensibilidad química se puede transmitir de madre a hijo. El doctor William Rae, fundador y director del Centro de Salud Ambiental en Dallas, Texas, dice:

> Puedes pasar sustancias químicas y sensibilidades de madre a hijo. Se ve en los adictos a drogas y sus bebés, fumadores de cigarrillos y sus bebés y alcohólicos y sus bebés. Así que en realidad no es sorprendente que otras sustancias químicas se pasen. Es la conclusión lógica. Los datos están ahí. Si la madre tuvo diez partes de estireno (un compuesto xenobiótico muy tóxico del que se hacen algunas tazas de plástico para café y algunos materiales de aislamiento) en la sangre, el hijo podría tener dos o tres partes en la suya.

Como resultado de la sensibilidad de un padre, un hijo podría nacer con predisposición hacia una sensibilidad profunda. El doctor Rae explica que los médicos y psiquiatras convencionales no comprenden las interacciones entre el medio ambiente y los seres humanos. En su experiencia, la tercera parte de sus pacientes deprimidos lo son porque han estado expuestos a cloroformo. Ha puesto a prueba a miles de pacientes deprimidos y, en muchos casos, encontró concentraciones altas de cloroformo en su sangre. Se han encontrado resultados similares en Australia.

El cloroformo es un anestésico y es en los vapores de agua que surge del cloro durante un baño largo y con agua caliente. Ahora sabes por qué un regaderazo puede ser tan relajador y que cause sueño mientras que uno frío suele ser vigorizador.

Lo que mucha gente no sabe es que muchos solventes, como tricloroetano (empleado en la limpieza en seco y en muchas otras aplicaciones industriales de limpieza) también pueden afectar tu estado mental y causar cambios del estado de ánimo, depresión e incluso ansiedad.

Otro hecho poco conocido es que muchas de estas sustancias químicas son en parte alcoholes y que los mecanismos del cuerpo para eliminarlos comparten las mismas vías que el alcohol, que es un depresor del sistema nervioso central. Como la contaminación del aire puede contener cantidades asombrosas (100 toneladas por año sólo en el aire de Dallas) de tales xenobióticos y como nuestras vías de desintoxicación (principalmente a través del hígado) ya están muy ocupadas encargándose de alcohol y muchos otros xenobióticos, es poco sorprendente que la depresión sea común.

Otro xenobiótico que puede precipitar la depresión, además de otros síntomas, es el formaldehído. Puede afectar el sistema nervioso de personas muy sensibles causando depresión, concentración deficiente, problemas de memoria y agitación.

¿Cómo podemos recibir estas sustancias químicas en la sangre? Considera lo siguiente. Si pones un limón en una mesa a un metro de distancia, es muy posible que puedas oler su fragancia. La razón es que el limón, como todo lo demás, se descompone aunque sea un poco, de manera que se inhalan partículas diminutas… de ahí que lo puedas oler.

Todo lo que se puede oler, a la larga entra a tu torrente sanguíneo. Este proceso se conoce como "desgasificación". Por lo tanto, si tu nueva alfombra, tela de plástico o mueble se desgasifica, es probable que el formaldehído entre a tu sangre. Si eres profundamente sensible, puede causar depresión.

La depresión y otros problemas emocionales también pueden tener como causa virus viejos: virus que tal vez se contrajeron años, incluso décadas antes sin que muestren síntomas por el momento. Cuando estos virus se reactivan, pueden ocurrir cambios de ánimo y problemas emocionales. La causa de esto es un síndrome postviral.

Fatiga, depresión y agotamiento de las suprarrenales

A menudo, se pasa por alto la función deficiente de las glándulas suprarrenales, una concentración excesivamente baja de colesterol y falta de sal como posible causa de depresión y cansancio.

Cuando las suprarrenales no funcionan tan bien como debieran, la condición se conoce como insuficiencia suprarrenal crónica, el síndrome de agotamiento o hipoadrenocorticismo.

No es poco común encontrar síntomas como presión sanguínea baja, hipoglucemia, deterioro de la función del hígado y deseo vehemente de sal en personas que tienen función suprarrenal dañada o insuficiente.

Las glándulas suprarrenales constan de dos partes: una porción exterior dura llamada corteza y una parte interior llamada médula. La médula produce la hormona llamada adrenalina. La médula y corteza de las suprarrenales están bajo el control de la glándula pituitaria, que se encuentra en la base del cerebro y está controlada a su vez por el hipotálamo.

El hipotálamo es una diminuta bolsa, o ventrículo, en el cerebro, que actúa como micrófono oculto en todos los mensajes que llegan respecto a vista, sonido, gusto y olfato. Convierte estos mensajes en sustancias químicas llamadas factores de liberación y estos factores causan que la glándula pituitaria libere las hormonas apropiadas, algunas de las cuales afectan las glándulas suprarrenales.

Hipoglucemia

Cuando el cuerpo está bajo tensión, las glándulas suprarrenales secretan glucocorticoides que producen un aumento en la concentración de azúcar en sangre. El páncreas tiene que secretar insulina para hacer frente al aumento del azúcar en sangre y la concentración vuelve a lo normal.

Sin embargo, si esto sucede con demasiada frecuencia, entonces las suprarrenales y el páncreas se ven forzados a trabajar tiempo extra. El páncreas también puede reaccionar en exceso en estas condiciones causando que la concentración de azúcar en sangre sea constantemente baja (hipoglucemia). La concentración baja de azúcar en sangre es una posible causa de la fatiga crónica.

También es razonable que si las suprarrenales están trabajando por debajo de su nivel normal (como a menudo sucede cuando uno está bajo tensión por largo tiempo) el cansancio será uno de los resultados inevitables.

Sal

Otra consecuencia del agotamiento de las suprarrenales y muchas enfermedades agudas es que disminuye la concentración en sangre del sodio (sal).

Las suprarrenales, que están encargadas también de este departamento, vierten hormonas especiales, llamadas mineralocorticoiodes, para ayudar al cuerpo a retener cualquier sal que reciba de la dieta. Al mismo tiempo, se produce una pérdida excesiva de potasio. Si comemos demasiada sal, el resultado puede ser retención de fluidos y otras complicaciones; si no hay suficiente sal en el alimento que ingerimos, las suprarrenales tienen que trabajar mucho más duro y su eficiencia sufre más.

La mayoría de los médicos y muchos nutricionistas consideran que ya tenemos demasiada sal en nuestra dieta. Sin embargo, muchos parecen no darse cuenta de que la conexión entre la sal de la dieta y la presión sanguínea alta dista mucho de estar demostrada y que existe mucha evidencia científica que muestra que sólo en un pequeño porcentaje de las personas, específicamente las que son sensibles al sodio, subirá la presión sanguínea por la ingestión de sal en la dieta.

Se ha prestado mucha atención a la presión sanguínea alta y a los riesgos de enfermedad cardiovascular. Sin embargo, se ha dado poca publicidad a la condición muy común de presión sanguínea baja.

La presión sanguínea baja puede hacer que la gente se canse, no pueda concentrarse, esté mareada y con sobrepeso. Hablando en general, los síntomas empeorarán si se reduce la ingestión de sal y a veces, si se aumenta la ingestión de sal, ayudará a aliviarlos.

La regulación del sodio depende en gran medida de un par de suprarrenales saludables. Durante la tensión mental o física, la actividad suprarrenal cambia en forma marcada (ver capítulo sobre Tensión). Por ejemplo, durante una infección (los virus latentes son una causa común de fatiga crónica), se presentan considerables demandas a las glándulas suprarrenales.

La cantidad de hormonas almacenadas en el tejido suprarrenal es suficiente para sólo unos cuantos minutos en ausencia de la síntesis continua. Por esta razón, la velocidad de síntesis es en extremo importante para la velocidad de secreción.

Las deficiencias de sodio están entre los trastornos endócrinos más comunes en la medicina clínica. No poder iniciar la corrección del equilibrio de sales puede producir problemas cardiacos.

Las deficiencias de sodio causan que el cuerpo responda a través de las suprarrenales y su producción causa que los vasos sanguíneos se contraigan, lo que resulta en una oxigenación deficiente y reducción de la eliminación de productos de desecho (como ácido láctico) de la sangre. El ácido láctico es lo que causa los dolores musculares que a veces siguen a la actividad muscular excepcionalmente extenuante y prolongada. Un aumento del lactado (la forma iónica del ácido láctico) puede causar que los músculos duelan y producir ansiedad en individuos susceptibles.

No es sorprendente que el lactato excesivo también sea una posible causa de los problemas musculares experimentados por quienes sufren síndrome de fatiga crónica. Además, muchos de los problemas "nerviosos" asociados con el síndrome de fatiga crónica, como ansiedad, temor, tensión e irritabilidad, también pueden tener como causa una concentración excesiva de lactato en el torrente sanguíneo. Este tipo de ansiedad se conoce como síndrome de ansiedad inducido por lactato y se discute en el capítulo sobre cambios del estado de ánimo.

Colesterol y funciones del hígado

En la actualidad, muchas personas también se esfuerzan por reducir su concentración de colesterol. Por desgracia, la carencia de colesterol puede ser igual de malo que el exceso.

Lo que no nos damos cuenta muchos de nosotros es que el colesterol es una de las formas en que el cuerpo elimina algunas sustancias químicas, en especial mercurio, y que muchas sustancias químicas tóxicas se almacenan de hecho en la grasa.

El colesterol también es una fuente importante de hormonas suprarrenales. Por lo general, las suprarrenales están llenas de colesterol que se transforma (por biosíntesis) en adrenalina, en presencia de vitamina C. Si se agotan estas hormonas por falta de colesterol, podría ocurrir una insuficiencia de las suprarrenales.

Una reducción repentina o excesiva del colesterol podría causar una reducción de la presión sanguínea e inflamación de los tejidos con sales y agua. El hígado fabrica colesterol y controla su concentración en la sangre.

Cuando estás bajo tensión, el cuerpo, en su sabiduría, le dice al hígado que haga más colesterol de manera que las suprarrenales tengan suficiente para fabricar la hormona de la tensión extra que necesitas. Es una de las razones de que algunas personas tengan concentraciones más altas de colesterol cuando están bajo tensión, incluso puedan estar siguiendo una dieta baja en colesterol.

Cuando estamos expuestos a sustancias químicas extrañas, puede empeorar una situación que ya de por sí es mala, ya que el hígado tiene que trabajar más duro para desintoxicar nuestro sistema y fabricar colesterol. Muchas de las vías empleadas en el proceso de desintoxicación son compartidas por alcohol y sustancias químicas de las que el hígado es responsable.

Debilidad y dolor muscular

Muchas personas que sufren de fatiga crónica también tienen problemas con debilidad y dolor muscular. La corteza suprarrenal tiene una influencia poderosa y directa en las respuestas de los músculos.

Si examinamos la enfermedad clásica relacionada con las funciones suprarrenales (enfermedad de Addison), vemos que entre sus síntomas está concentración deficiente, mala memoria, somnolencia, depresión, insomnio, inquietud, aprensión o ansiedad, irritabilidad, dolores de cabeza, visión borrosa temporal, mareo y tinnitus (zumbido de los oídos).

Todos estos síntomas también son comunes a la mayoría de las personas que sufren de fatiga crónica e inexplicable. Por supuesto, esto no quiere decir que si estás cansado en forma poco común o incluso si estás más cansado de lo usual y algo deprimido, que seas víctima del síndrome de fatiga crónica o que sufras la enfermedad de Addison.

Sin embargo, debemos cuestionar la posibilidad de que muchas personas que sufren fatiga crónica muestran una cierta medida de insuficiencia suprarrenal. Tal vez entonces podrías encontrar una incidencia sorprendentemente alta de hipoadrenocorticismo subclínico entre ellos.

Cómo mejorar las funciones suprarrenales

Se puede ayudar a las glándulas suprarrenales agotadas mediante complementos orales de vitamina B_5 (también conocida como pantotenato de calcio o ácido pantoténico, y que se encuentra en forma natural en vísceras, huevos, germen de trigo y jalea real), orozuz, regaliz, sodio (sal) y una dieta rica en proteínas que no es excesivamente baja en colesterol.

La vitamina C tiene un papel importante no sólo en mantener la integridad de las suprarrenales, sino en ayudar a la conversión de colesterol en hormonas suprarrenales.

Otros nutrientes importantes son vitamina A, vitamina B_2 (riboflavina), zinc, magnesio y el aminoácido tirosina, que requiere vitamina C y calcio para su utilización.

El ginseng coreano (panax) tónico y hierbas como cártamo, perejil, zarzaparrilla, alga marina, salvia y ajedrea también suelen ayudar a las funciones suprarrenales. También es benéfica una dosis diaria de ajo y crema de ajonjolí.

Date cuenta que el orozuz y el regaliz están contraindicados en casos de presión sanguínea alta, deficiencia de potasio y enfermedad de los riñones, y que también tienen efecto laxante.

El gingseng coreano también está contraindicado en algunos casos de problemas hormonales y ginecológicos femeninos, como menorragia (sangrado anormal del útero).

Alimentos ricos en vitamina B$_5$ (ácido pantoténico)

abadejo
aguacate
almejas
cacahuates
cangrejo
carne de res
frijol de soya
germen de trigo
germinados de frijol
hígado (res, puerco)

hongos
huevo
langosta
lentejas
macarela
piña
pollo
salmón
sandía
sardinas

Alimentos ricos en vitamina C (ácido ascórbico)

alfalfa
bayas (arándano, grosella,
   frambuesa y fresa)
brócoli
camote
col
coles de Bruselas
coliflor
espinacas
frutas cítricas (limones,
   naranjas, jitomates)
guayaba

hígado (de res)
melón
nuez de Brasil
ostras
papas
pimiento
plátano
riñones
sandía
verduras (hojas comestibles
   verdes)

Alimentos ricos en vitamina A

calabaza
camote
cangrejo
espinacas
hígado (de res, de pescado)
huevo
jitomate
leche
lenguado
mantequilla

margarina
melones
ostras
pez espada
queso crema
salmón
toronja
verduras (de hojas
   comestibles verde oscuro)
zanahorias

La tirosina puede agravar algunos trastornos psiquiátricos y está contraindicado en casos de cáncer melanoma y en disfunciones inmunes en que las células asesinas son escasas.

Cómo valorar la insuficiencia suprarrenal

Una de las formas más simples de valorar la posibilidad de insuficiencia suprarrenal es medir la presión sanguínea mientras el paciente está recostado relajado o sentado con comodidad por unos minutos e inmediatamente después de que el paciente se mueve rápidamente a una posición de pie.

La presión sistólica debería ser más alta cuando el paciente se pone de pie de repente. Si no aumenta, o lo que es peor, si disminuye, entonces indica la posibilidad de daño suprarrenal. El grado en que cae la presión sanguínea sistólica cuando está en la posición de pie le da al terapeuta un cálculo aproximado del grado de la insuficiencia suprarrenal.

Otro método, más elaborado, es la prueba de "carga de agua" y se lleva a cabo en casa con instrucciones simples del terapeuta, que luego interpreta los resultados. Esta prueba está contraindicada en personas con enfermedades de riñón conocidas.

Alimentos ricos en zinc

arenque	huevo
arroz, integral	leche
atún	levadura (de cerveza)
avena	nuez de Brasil
cangrejo	ostras
carne de puerco	riñones
carne de res	salvado
cereales	semillas de calabaza
cordero	semillas de girasol
hongos	ternera

Alimentos ricos en magnesio

aguacate
ajonjolí
almendras
arroz
avena
cacahuates
cangrejo
carne de puerco
carne de res
cebada
chabacano, deshidratado
chícharos
dátiles
frijol
frijoles de soya
frijoles en salsa de jitomate

frutas cítricas
germen de trigo
jitomate (crudo)
lentejas
maíz
melaza
nuez
nuez de Brasil
nuez de la India
papas
pescado (lenguado, salmón, atún)
pollo
verduras (de hoja comestible verde oscuro)
zanahorias (crudas)

Alimentos ricos en vitamina B$_2$ (riboflavina)

almejas
almendras
arroz
bacalao
berza y col
carne de res (riñón, corazón, hígado)
casis
espinacas
frijol
harina

hongos
huevo
leche
macarela
nuez de Brasil
ostras
perca
pollo (hígado)
queso
salmón
trucha

5

Envejecimiento y enfermedad de Alzheimer

"Empezamos a morir el día en que nacemos" es una frase común bastante desagradable; sin embargo, envejecer no necesariamente significa volverse senil. De hecho, la senilidad bien podría resultar ser algo muy similar a un mito de acuerdo a algunos científicos que estudian el proceso de envejecimiento.

Hasta hace poco, síntomas como pérdida de la memoria, dificultades con la evacuación intestinal, vestirse o conducir un auto, se consideraban consecuencia natural del envejecimiento. En la actualidad, este punto de vista ha sido descartado por la comunidad científica. Incluso a los ochenta años de edad, se piensa que una disminución de la capacidad mental es una enfermedad no un suceso natural.

Al aumentar la duración de la vida, las aflicciones que en un tiempo eran poco comunes en la actualidad se han vuelto comunes. Al empezar el siglo XXI, alrededor de 16 por ciento de la población del Reino Unido consistía en personas de más de sesenta y cinco años de edad y esta cifra está predispuesta a crecer. De acuerdo a la organización Age Concern, la cifra de personas de noventa años o más aumentará en 50 por ciento entre 1996 y 2016. La demencia senil afecta en la actualidad a una de veinte personas con una edad de setenta y cinco años y una en cinco de más de ochenta años.

Enfermedad de Alzheimer: diagnóstico

A la enfermedad de Alzheimer se le ha llamado "la epidemia silenciosa", "la enfermedad silenciosa" y "el funeral que nunca termina". Por el nombre que sea, los desastrosos efectos que tiene en sus víctimas se han descrito acertadamente como la destrucción total del individuo.

La demencia senil es el término general administrado a muchas enfermedades diferentes que producen demencia. Se considera que más de 50 por ciento de los casos de demencia sufren de enfermedad de Alzheimer. La Sociedad del Alzheimer calcula que en la actualidad más de 700,000 personas en el Reino Unido tienen demencia senil.

La enfermedad fue identificada por primera vez en 1906 por el médico alemán Alois Alzheimer. Después de la muerte de uno de sus pacientes, una mujer de 51 años de edad con una severa pérdida de la memoria y confusión mental, el doctor Alzheimer decidió llevar a cabo una autopsia en su cerebro y encontró dos características distintivas de la enfermedad: bolas de marañas de fibras nerviosas del cerebro y zonas de ramas de las células nerviosas que se desintegran.

Existe la idea equivocada de que la enfermedad de Alzheimer se puede diagnosticar con facilidad por sus síntomas. Sin embargo, no es así, e incluso ahora, la única forma de estar absolutamente seguros es examinar el cerebro después de la muerte.

Los cambios estructurales en el cerebro se pueden ver con claridad con un microscopio de poco poder y parecen estar concentrados en la corteza cerebral (donde se originan los procesos de pensamiento) y el hipocampo (que tiene un papel especial en los procesos de aprendizaje y de memoria).

El diagnóstico mientras el paciente esté vivo todavía sigue siendo en su mayor parte un proceso de eliminación. Si, después de una serie de pruebas, un médico puede excluir ataques de apoplejía, enfermedad de Parkinson, alcoholismo, arteriosclerosis del cerebro, tumores, depresión, reacciones adversas y efectos secundarios a medicamentos o problemas psiquiátricos, entonces se hace el diagnóstico por falta de alternativas.

Existen otras causas de demencia, en particular los infartos múltiples del cerebro (una serie de pequeños ataques de apoplejía en el cerebro) y alcoholismo. Esta enfermedad sería mucho más fácil de descubrir, y tratar, si supiéramos con exactitud que la causa.

Otra idea equivocada popular sobre la enfermedad de Alzheimer es que ciertos signos, como una pérdida de memoria, son los únicos indicadores de la enfermedad, o al menos los únicos seguros. Por desgracia, tanto el inicio como el progreso de la enfermedad de Alzheimer son tan insidiosos que a menudo no se les reconoce por meses o incluso años. Además, los primeros síntomas son variados y no son fáciles de descubrir.

Considera lo siguiente. Una mujer no puede recordar si apagó la estufa o cerró la puerta de su casa. Un hijo se dio cuenta que su madre no podía balancear su chequera y contar el cambio en la frutería. Un empresario se dio cuenta que su esposa comienza a gastar sin control alguno, lo cual no es característico de ella, y no puede encontrarle sentido a mensajes telefónicos simples. La esposa de un hombre hábil en carpintería y albañilería se dio cuenta del deterioro de la calidad del trabajo de su marido cuando las paredes quedaban pintadas en forma dispareja y un conjunto de gabinetes de pared quedan tan torcidos que ninguna puerta puede cerrar en forma apropiada. Tales aberraciones son las marcas que a menudo son señal del inicio de la enfermedad de Alzheimer.

¿El aluminio es una causa de enfermedad de Alzheimer? ¿Las bajas concentraciones de ciertos neurotransmisores son el resulta-

Etapas de la enfermedad de Alzheimer

Edad– habilidades adquiridas	Etapa de la enfermedad–habilidades perdidas
15+ encontrar y mantener un trabajo	*Límite* mantener un trabajo
7-12 manejar dinero	*Primeras etapas* finanzas simples
5-7 elegir ropa propia	*Primeras etapas* elegir ropa
5 años de edad ponerse la ropa	*Etapa moderada* ponerse la ropa
4 años de edad ir al baño solo	*Severa* ir al baño solo
4 años de edad bañarse sin ayuda	*Severa* bañarse sin ayuda
2-3 años de edad control de la vejiga	*Tardía* control de la vejiga
2-3 años de edad controlar el intestino	*Tardía* sólo controlar el intestino
15 meses hablar unas palabras	*Tardía* sólo hablar unas palabras
1 año hablar una palabra	*Etapa tardía* sólo hablar una palabra
1 año caminar	*Etapa tardía* caminar
6-9 meses sentarse sin ayuda	*Etapa tardía* finanzas simples
2-3 meses sonreír	*Etapa tardía* sonreír

do de una falla de sistemas que entonces produce la enfermedad o la enfermedad de Alzheimer causa tales fallas y la baja concentración de las sustancias químicas del cerebro? ¿La falla podría encontrarse en modelos alterados de receptores que luego fallan en responder de manera adecuada a los neurotransmisores? ¿Es como se sospecha que una deficiencia de algún metal esencial, como calcio, magnesio o manganeso, permite que el aluminio o tal vez otras toxinas cerebrales se acumulen en el cerebro?

¿O existen otros factores, como enfermedades virales, que trastornan los mecanismos protectores naturales y permiten el paso de metales tóxicos al cerebro, cruzando la llamada barrera hematoencefálica? Vamos a examinar algunas de las teorías, hipótesis e ideas actuales sobre la enfermedad de Alzheimer.

Herencia

La herencia podría tener un papel importante, ya que la enfermedad de Alzheimer a menudo se presenta en miembros de la misma familia. Un hermano de alguien que tiene enfermedad de Alzheimer tiene 50 por ciento de posibilidad de contraer la enfermedad, si vive suficiente para que se manifiesten los síntomas. Tal vez influyan o causen su inicio varios genes, de manera que cualquiera que los tenga sólo termine con la enfermedad si todos están combinados simultáneamente.

Además de la evidencia estadística, algunos científicos creen que como casi todos los que tienen síndrome de Down contraen enfermedad de Alzheimer para la edad de cuarenta años, existe un fuerte factor hereditario. Algunos científicos médicos creen con tanta fuerza en esta teoría que al menos un doctor afirma haber encontrado una forma con terapia de nutrición para prevenir la enfermedad de Alzheimer y en algunos casos invertir algunos de sus efectos.

El doctor Chris Reading, psiquiatra de Sydney que es muy reconocido como pionero de Australia de la psiquiatría de la nutrición, también es experto en genética humana y cree que ha encontrado un vínculo entre enfermedades como leucemia, enfermedad de Alzheimer, síndrome de Down y esquizofrenia. "Estas enfermedades a menudo ocurren durante varias generaciones de la misma familia y parecen tener causas similares", afirmó el doctor Reading.

Su éxito con pacientes de enfermedad de Alzheimer surge de su trabajo con niños con síndrome de Down. Después de hacer pruebas a cuatro mil pacientes en un periodo de seis años, el doctor Reading descubrió que algunas deficiencias de vitaminas y minerales, además de alergias o intolerancias hereditarias a alimentos o sustancias químicas causan crecimiento anormal y el desarrollo de enfermedad de Alzheimer en niños con síndrome de Down.

Si sus problemas de nutrición y alergias se tratan a tiempo, existe una gran probabilidad de que no presenten enfermedad de

Alzheimer en los años posteriores. El doctor Reading está trabajando en la actualidad en valorar si estas medidas preventivas se podrían aplicar a individuos susceptibles y tal vez a la población en general.

Virus

Como sabemos que muchos pacientes de enfermedad de Alzheimer rara vez parecen "enfermos" y difícilmente muestran signos de infección, como fiebre o conteo elevado de glóbulos blancos, parece extraño que alguien considere a las infecciones virales como una causa probable.

Sin embargo, algunos científicos especulan que uno de los virus "lentos" o "retro" puede ser responsable. Desde el descubrimiento, en la década de 1960, de virus que son capaces de causar daño años después de que tuvo lugar la infección original, hemos llegado a darnos cuenta que es posible que un agente viral cause la enfermedad de Alzheimer y tal vez otras enfermedades para las que en el presente no tenemos explicación.

Existe la posibilidad de que un virus pueda dañar la actividad o síntesis de enzimas clave del cerebro o incluso neurotransmisores.

Proteínas anormales

Tenemos poca duda de que la enfermedad de Alzheimer se asocia con anormalidades de las proteínas. Las bolas de marañas de fibras nerviosas y proteínas complejas (que se parecen al almidón [amiloides]) rodean e invaden los vasos sanguíneos cerebrales y las terminaciones nerviosas que se degeneran.

Son hallazgos característicos en la enfermedad de Alzheimer pero hasta el momento nadie ha podido decir si son la causa o el efecto de la enfermedad. De hecho, existe la posibilidad de que son anormales, la síntesis de proteínas podría ser dirigida por genes anormales, lo que la convertiría en una anormalidad hereditaria o genética.

También puede ser posible que las enzimas anormales o defectuosas se activen gracias a toxinas del medio ambiente y entonces estas enzimas sinteticen proteínas modificadas que ahoguen, tal cual, a las células cerebrales normales. Estos manojos de proteínas, llamados marañas neurofibrilares, son numerosos en las neuronas del tallo cerebral que liberan neurotransmisores en general y acetilcolina en particular.

Los amiloideos tienden a reunirse en las capas medias de los vasos sanguíneos del cerebro y avanzan hacia el exterior donde al final debilitan, e incluso reemplazan las paredes. Este debilitamiento de las paredes de los vasos sanguíneos podrían explicar las hemorragias locales que son comunes en las últimas etapas de la enfermedad de Alzheimer.

A las hemorragias locales se les conoce técnicamente como ataques de apoplejía. Pequeños ataques de apoplejía repetidos pueden dar lugar a los mismos síntomas de alguien que sufre la última etapa de la enfermedad de Alzheimer. A menudo es difícil saber, hasta después de la muerte, si el paciente tiene la verdadera enfermedad de Alzheimer.

Neurotransmisores

Los neurotransmisores son sustancias químicas naturales que el cerebro fabrica de aminoácidos comunes. Son los componentes básicos de las proteínas que se obtienen del alimento que ingerimos todos los días.

Los neurotransmisores son sustancias que permiten a las células del cerebro comunicarse unas con otras. En otras palabras, son mensajeros químicos dentro del cerebro y del sistema nervioso central.

Mientras que cada neurotransmisor tiene una función específica en el cerebro, la mayoría tiene más de una, y en casi todos los casos, la cantidad de cada uno no es siempre tan importante como la proporción entre dos o más de ellos en cualquier momento dado. Incluso si se concede que la enfermedad de Alzheimer necesita que ocurra una combinación de factores, se mantiene el hecho de que uno o más neurotransmisores están vinculados con la enfermedad.

A mediados de la década de 1970, el doctor Peter Davies, entonces en el Instituto de Neurología en Londres, mostró que el cerebro de las personas con enfermedad de Alzheimer contenía concentraciones drásticamente reducidas (hasta en 90 por ciento) de una enzima clave, colina acetiltransferasa. Esta enzima es necesaria para que el cerebro produzca un neurotransmisor químico conocido como acetilcolina que se crea con el aminoácido colina y acetil coenzima A (y requiere vitamina B_1 y B_5).

Cuando David Drachman del Centro Médico de la Universidad de Massachusetts administró una droga llamada escopolamina (que se sabe interfiere con los mecanismos de memoria de la acetilcolina), el estado temporal de confusión mental y pérdida de la memoria era prácticamente indistinguible de las de alguien que tiene enfermedad de Alzheimer. Esto apoya la teoría de que el deterioro de la memoria se asocia con una disminución en la concentración de acetilcolina.

Experimentos calculados para aumentar la concentración de las enzimas colín acetiltransferasa, o reducir la velocidad de la descomposición de acetilcolina, han mostrado que la velocidad a que se sintetiza el neurotransmisor no necesariamente está limitada por la cantidad de las enzimas, sino por la disponibilidad de las

---

Alimentos ricos en colina

cacahuates	guisantes secos
carne de res	hígado (res,
ejotes	puerco)
frijol de soya	leche
garbanzo	lentejas
germinados de frijol	yema de huevo

sustancias precursoras con que se fabrica la acetilcolina, es decir colina y acetil coenzima A.

Se ha demostrado que administrar a los pacientes grandes cantidades de colina o lecitina como complemento ha mostrado que ayuda a reducir los síntomas de la enfermedad de Alzheimer. Un estudio controlado con cuidado de Raymond Levy de la facultad de medicina de la Universidad de Londres, encontró que se producía una mejoría conductual continua en ocho de veinticuatro pacientes tratados de esta manera. Mientras que es alentador, los resultados de este tipo sugieren convincentemente que existen varias formas de enfermedad de Alzheimer.

Como las autopsias de los pacientes de enfermedad de Alzheimer revela la destrucción física de las terminales de las células nerviosas, también es posible que al enfrentar la escasez de colina con la cual sintetizar acetilcolina, el cerebro canibaliza algunas de sus propias membranas celulares para obtener el contenido de fofatidilcolina (una fuente disponible de colina).

Otros neurotransmisores podrían estar implicados. Norepinefrina y serotonina parecen ser escasos en el cerebro de pacientes con enfermedad de Alzheimer (*New Scientist*, junio de 1985, pág. 34) y la concentración de glutamato en el fluido cerebroespinal se correlaciona con la gravedad de la demencia.

La hipótesis de los neurotransmisores no excluye la de toxinas del medio ambiente o deficiencias de nutrientes (aparte de colina, vitamina B_1 y B_5), ya que toxinas como aluminio bien podrían bloquear neurotransmisores, su síntesis o tal vez su actividad.

Las interacciones complejas de nutrientes, como vitaminas y minerales, también hace posible que una deficiencia específica de uno de ellos pueda trastornar el delicado equilibrio entre neurotransmisores, sus precursores o las enzimas necesarias para su síntesis.

Deficiencias del medio ambiente

A muchas personas les gusta culpar al deterioro del medio ambiente, en particular a la creciente cantidad de sustancias químicas en abastecimientos de aire, agua y alimento, de casi todos nuestros problemas de salud, mientras que otros están convencidos de que las deficiencias de diversos nutrientes, en especial vitaminas y minerales, son la base de todas las enfermedades modernas.

Sin embargo, estos dos factores interactúan con mucha frecuencia en formas que causan, o al menos activan, muchas enfermedades. Cuando un individuo es susceptible, por una característica inherente o por herencia, cualquier factor bien podría precipitar la enfermedad de Alzheimer sin que alguien pueda *demostrar* una relación directa de causa y efecto.

Por ejemplo, sabemos que la gente que fuma más de una cajetilla de cigarrillos al día corre un riesgo cuatro veces mayor de contraer enfermedad de Alzheimer que quienes no fuman; sin embargo, nadie sugiere que el tabaco *causa* enfermedad de Alzheimer. Existen muchos factores del medio ambiente que pueden agravar o causar enfermedad de Alzheimer.

Considera lo siguiente. En Guam, una remota isla del Pacífico, hay una tribu conocida como los chamarros, cuyos miembros sufren de una alta incidencia de esclerosis lateral amiotrófica que causa emaciación muscular progresiva, temblores como de enfermedad de Parkinson, demencia con la enfermedad de Alzheimer y marañas de neuronas. Resulta que simplemente el área de Guam en que viven los chamarros es totalmente deficiente en magnesio y calcio. Ya sabemos que una deficiencia de calcio (o de vitamina D_3) tiende a favorecer la acumulación de estroncio 90, aluminio y tal vez varios otros metales tóxicos.

El neuropatólogo, el doctor Daniel Perl, del Colegio de Medicina de la Universidad de Vermont, cree que el déficit de magnesio y calcio combinado con la acumulación de metales pesados como aluminio, podrían tener un papel en el inicio de la enfermedad de Alzheimer.

Millones de personas toman diuréticos en un esfuerzo por reducir la presión sanguínea alta e impedir las enfermedades cardiacas. Estas drogas tienden a aumentar la pérdida de varios minerales

ALGUNAS FUENTES COMUNES Y NO TAN COMUNES DE ALUMINIO

Utensilios de cocina de aluminio

La siguiente lista resume los problemas de cocinar en aluminio:

- el agua que hierve produce hidróxidos, que son tóxicos
- hervir huevos produce fosfatos, que inhiben la absorción de calcio
- hervir carne produce cloruros
- freír tocino aumenta los nitratos
- los vegetales tienden a producir factores neutralizadores que impiden la digestión apropiada del alimento
- las teteras son posibles culpables en particular porque el ácido tánico en el té tiende a permitir que el aluminio se escape a la bebida

Abastecimientos de agua

- se emplean sustancias químicas, llamadas agentes floculantes, en la purificación del agua (¡cita textual!)
- las tuberías de agua caliente a veces se hacen con preventivos de corrosión catódica que se fabrican de aluminio

Aditivos de los alimentos

El aluminio es un aditivo de los alimentos común en comida como:

- queso, sal de mesa, polvo de hornear, encurtidos, cerezas al marrasquino, polvos de vainilla y harinas blanqueadas
- incluso las fórmulas de leche para bebé contienen hasta cuatrocientas veces más aluminio del que se encuentra en la leche de seno

Aditivos generales

- pastas de dientes
- rociadores nasales
- antitranspirantes
- amalgamas dentales
- filtros de cigarrillo
- compuestos de aspirina
- pesticidas (que también terminan como residuo en algunos alimentos)

como calcio, magnesio, zinc y otros micronutrientes esenciales por el sistema urinario. Muchas personas ya tienen concentraciones marginales de estos nutrientes y es posible que no queden suficientes para impedir que se acumulen en el cerebro metales tóxicos, como aluminio.

El doctor Perl también ha mostrado que las fibras de las marañas nerviosas de personas con enfermedad de Alzheimer contienen cantidades altas poco comunes de aluminio y que este metal, cuando se inyecta en el cerebro de animales, conduce a un deterioro similar. Su investigación sugiere que el aluminio se acumula de preferencia en las células del cerebro.

Otros investigadores, como Donald Maclaughlin de la facultad de medicina de la Universidad de Toronto, han mostrado que las marañas de neuronas se formarán en el cerebro de animales experimentales cuando se inyectan las sales de aluminio.

Se encuentra demencia irreversible en algunas personas que se sometieron a diálisis de riñón con soluciones ricas en aluminio. Además, sabemos que las sales de aluminio pueden inhibir algunas enzimas clave del cerebro además de transportar proteínas esenciales (*Scientific American*, enero de 1985, pág. 48).

La posible participación del aluminio en la enfermedad de Alzheimer se discutió ampliamente en la reunión de la Real Sociedad de Londres (abril de 1987), y varios científicos propusieron que, sin tomar en cuenta las fuentes obvias de este metal (ver lista en la página 121), la lluvia ácida podía ser un culpable importante. Se sabe que el aluminio es la toxina responsable de la muerte de peces en arroyos y lagos que se vuelven ácidos por la lluvia contaminada. El aluminio se disuelve en esta agua en lugar del silicio: el aluminio es tóxico para los humanos, mientras que el silicio es esencial para la vida.

El aluminio es el tercer elemento más común en la tierra, después del oxígeno y el silicio, y el metal más común en la corteza de nuestro planeta. Por lo tanto, no es fácil de evitar, pero no es razón para usar antiácidos, desodorantes, polvos para hornear y utensilios de cocina de aluminio... por no mencionar el aluminio en el agua de la llave o de lluvia. La mejor solución para el último caso parece ser emplear un filtro de agua de buena cualidad. Tenemos papel aluminio, latas de aluminio e incluso el aire acondicionado nos bombardea con partículas de aluminio de las unidades de refrigeración.

Todavía se discute muchos si la concentración de aluminio es una causa o un efecto de la enfermedad de Alzheimer. Sin embargo, es posible que el aluminio pueda causar el problema en forma indirecta.

De acuerdo a un estudio de Banks y Atkins del Centro Médico de la Administración de Veteranos y el departamento de medicina de la Escuela de Medicina de la Universidad de Tulane en Nueva Orleáns, el aluminio puede alterar la permeabilidad de la barrera natural que protege al cerebro de sustancias indeseables: la barrera hematoencefálica (*The Lancet* ii, 1983: 1227-1229).

Se especula que este cambio en la permeabilidad de la barrera hematoencefálica puede permitir que otras toxinas del medio ambiente, y tal vez proteínas hostiles, entren al cerebro y alteren sus funciones. Ya tenemos un modelo tentativo para esto en el caso de la epilepsia, la cual se puede activar con cantidades excesivas del factor vitamínico inofensivo en general, e incluso esencial, el ácido fólico, que se libera de alguna forma en el cerebro de personas con tendencia a ataques, si no es la causa.

Además del hecho de que el aluminio está en todas partes, existe el problema de la absorción: este metal tóxico se puede absorber con facilidad en el cuerpo mediante el tracto gastrointestinal (*New England Journal of Medicine* No. 310[17], 107).

No muchos ingleses se dan cuenta que la venta de utensilios de cocina de aluminio está prohibida en Alemania, Francia, Suiza, Bélgica, Hungría y Brasil.

Alcohol

De acuerdo a Alcohol Concern, agencia británica para el abuso del alcohol, una persona de cada trece en Inglaterra depende del alcohol… dos veces el total de adictos a todo tipo de drogas, incluyendo las drogas que requieren receta médica. Nadie sabe en qué medida el alcoholismo a largo plazo afecta el cerebro y cuántos casos de senilidad y enfermedad de Alzheimer son, de hecho, el resultado de efectos adversos del alcohol.

El alcohol ejerce una poderosa influencia en el cerebro humano. Estimula la producción de sustancias químicas del cerebro (endorfinas) que actúan como anestésicos. Embota el dolor físico y también deprime los centros en el cerebro que son responsables de controlar la conducta y la coordinación. El alcohol irrita el recubrimiento del intestino y puede ser responsable de la mala absorción de nutrientes esenciales para las funciones del cerebro.

Después de todo, casi sin excepción, toda sustancia química (neurotransmisor) empleada por el cerebro se crea de los aminoácidos que surgen del alimento y su síntesis requiere la presencia y la coordinación de varias vitaminas, minerales y otros nutrientes esenciales.

Esto es evidente en el hecho de que la causa directa de muchos trastornos neurológicos es una deficiencia de vitamina B_1 (tiami-

---

Alimentos ricos en vitamina B_1 (tiamina)

avena	frijol de soya
aves de corral	germen de trigo
calabaza	leche
carne de puerco (hígado)	levadura (de cerveza)
carne de res (corazón, hígado, riñón)	nuez de Brasil
cereales	pescado (macarela, perca, huachinango)
chícharos y otras legumbres	semillas de girasol
cordero	trigo

na), que es un estado causado por el alcoholismo. El profesor Byron Kakulas, director de neuropatología del Hospital Royal Perth, afirma que se pueden anular muchos de los efectos del alcohol en el cerebro tomando unas cuantas vitaminas, en especial vitamina B_1, que de inmediato reducirían algunos de los trastornos mentales más comunes que se asocian al abuso del alcohol. Se debe notar que la vitamina B_1 es esencial para uno de los pasos bioquímicos clave en que se sintetiza acetilcolina (un neurotransmisor del cerebro que se asocia a la enfermedad de Alzheimer) del aminoácido colina.

Azúcar en sangre

Nos hemos enfrascado tanto con los problemas de la hipoglucemia (azúcar en sangre baja o fluctuante) que tendemos a olvidar algunos de los efectos devastadores que puede causar la concentración alta de azúcar en sangre (glucosa).

Por mucho tiempo hemos sabido que los diabéticos tienden a las infecciones y que en su susceptibilidad influye lo bien que se controle la enfermedad (o la concentración de azúcar en sangre). También sabemos que varias de las complicaciones de la diabetes imitan los procesos degenerativos de la vejez; en particular, las cataratas seniles, la rigidez de las articulaciones y la ateroesclerosis se presentan antes en la diabetes.

El colágeno, la proteína extracelular más abundante que une a las células, degenera cuando se expone a glucosa. En otras palabras, el azúcar en la sangre bien podría jugar un papel en los cambios de tejido que se asocian a los procesos degenerativos como la vejez. No sabemos en esta etapa si estos cambios se extienden a las células cerebrales o si pueden influir en ellas, pero da a la gente otra buena razón para no ingerir cantidades excesivas de dulces.

Podrías pensar que esto exonera la hipoglucemia (baja azúcar en sangre) incluso como un culpable circunstancial de la enfermedad de Alzheimer. Por desgracia, no es así.

La hipótesis del flujo de sangre, hipoglucemia e hipoxia

Mis abuelos solían culpar de todo a la "mala circulación" y los quiroprácticos saben muy bien cuántos problemas de salud se pueden aliviar o curar con las manipulaciones que tienen como propósito aumentar la circulación en general y el flujo de sangre a zonas específicas.

El flujo normal de sangre al cerebro tiende a disminuir en alrededor de 20 por ciento entre treinta y sesenta y tantos años, pero el cerebro lo compensa extrayendo proporcionalmente más oxígeno del flujo.

En la enfermedad de Alzheimer, el flujo de sangre disminuye más del promedio y no sucede la ingestión compensadora de oxígeno que se le asocia. Tanto el flujo de sangre como el consumo de oxígeno continúan disminuyendo al mismo tiempo que se deteriora el cuadro clínico de alguien que tiene enfermedad de Alzheimer.

El doctor Frank Benson de la Escuela de Medicina de la Universidad de California en Los Ángeles encontró que se consumía una cantidad tan pequeña como la mitad de la cantidad normal de glucosa en los cerebros de quienes tienen enfermedad de Alzheimer. La glucosa proporciona a las células cerebrales todos sus requisitos de energía; sin embargo, sólo es posible si está disponible oxígeno al mismo tiempo.

Otros investigadores han encontrado una deficiencia en la concentración de las enzimas especiales necesarias para convertir glucosa en energía en muestras de cerebro de personas afectadas por enfermedad de Alzheimer. ¿Se puede influir en estos factores mediante un tratamiento quiropráctico regular, ejercicio, buena dieta y un estilo de vida saludable? El sentido común diría que sí.

Unos cuantos consejos

Al aproximarse la vejez, ¿qué *puedes* hacer para evitar, o al menos tratar de prevenir y volverte una víctima de la enfermedad de Alzheimer? Aquí están unos consejos:

1. Asegúrate de que tu concentración de azúcar en sangre es normal y que está controlada. Una prueba de tolerancia a la glucosa es una forma de asegurarse. Si existen antecedentes de diabetes en tu familia, entonces estas revisiones se deberían llevar a cabo en forma periódica. Sin embargo, en general es aconsejable evitar el exceso de azúcares, dulces y carbohidratos refinados además del alcohol.

2. Si tienes la más ligera sospecha de que eres alérgico o intolerante a algo, sea alimento, sustancias químicas o inhaladores, haz que alguien lo verifique y haga arreglos para un tratamiento rápido.

3. Evita tanto como sea humanamente posible todos los aditivos, colorantes, pesticidas, sustancias químicas tóxicas y fuentes de contaminación.

4. A menos que sea absolutamente necesario, no empeles drogas o medicinas que afectarán negativamente el flujo de sangre, la utilización o absorción de aminoácidos, la función cerebral, la absorción o metabolismo de minerales y vitaminas. Si **tienes** que tomar algunas medicinas, asegúrate de tomar vitaminas apropiadas, nutrientes esenciales y complementos de minerales para compensarlo.

5. Haz todo lo que puedas para no sufrir infecciones virales. Esto significa tomar complementos diarios de un fuerte complemento de vitamina C con zinc.

6. Asegúrate de que tu cuerpo recibe lo mejor de los alimentos al confirmar que tu sistema digestivo está funcionando bien. Esto podría significar ácido clorhídrico y biotina de complemento, en especial si tienes más de cincuenta años de edad, y enzimas digestivas. Recuerda también que algunos alimentos proteínicos, como huevos y pescado, pueden en verdad fortalecer las funciones cerebrales en la vejez.

7. Toma complementos de colina (en forma de lecitina) y nunca te quedes sin vitamina B_1 y vitamina B_5, en especial si bebes alcohol o comes muchos dulces y carbohidratos refinados.

8. Asegúrate de recibir suficiente calcio, magnesio y vitamina D_3, en especial si estás expuesto a aluminio.

9. Evita el aluminio tanto como sea humanamente posible. Bebe en contenedores de vidrio y envuelve tu alimento en papel engrasado simple.

10. Emplea un buen filtro de agua.

11. Bebe cantidades moderadas de alcohol sólo **con** comidas.

12. Haz mucho ejercicio y respira aire fresco para asegurar una buena circulación.

13. La vitamina E y la niacina ayudan al flujo de sangre, así que toma un poco todos los días.

14. Recibe ajustes quiroprácticos u osteopáticos ya que el flujo de sangre que pasa por el cuerpo, y el cerebro en particular, pueden verse afectados drásticamente por subluxaciones desconocidas.

6

Tensión

Las personas de todas partes sufren de tensión. Los médicos recetan tranquilizantes para ella, los políticos se retiran por ella y los místicos nos enseñan formas para tratar de superarla. Todos estamos sometidos a la tensión.

Sin embargo, a pesar de lo mala que pensemos que es, la tensión es también un proceso esencial que mantiene funcionando nuestras glándulas suprarrenales. Sin embargo, cuando la tensión es demasiada, surge una situación potencialmente peligrosa. Nuestro metabolismo es incapaz de enfrentarla y ajustarse, y esto abre el camino para diversos males, enfermedades degenerativas y problemas emocionales.

Muchos factores activan la tensión y, con el fin de hacerles frente, debemos poder reconocer los síntomas y tener a nuestra disposición una bolsa llena de recursos para corregir los desequilibrios inducidos por la tensión.

¿Qué es la tensión?

¿Qué es la tensión? El hombre que inventó el concepto, el doctor Hans Selye, profesor y director del Instituto de Medicina Experimental y Cirugía de la Universidad de Montreal, en Canadá, que también tiene doctorados en medicina, ciencia y filosofía, nos da esta definición en su libro *Tensión sin angustia:*

> Todos saben lo que es la tensión y nadie sabe lo que es. La palabra tensión, como éxito, fracaso o felicidad, tiene diferentes significados para diferentes personas y, con la excepción de algunos científicos especializados, nadie en realidad ha tratado de definirla, aunque se ha vuelto parte de nuestro vocabulario diario.

Si el clima de repente se vuelve frío y ventoso, es probable que tiembles. Si se vuelve caliente, sudarás. Si comes demasiada azúcar, tu cuerpo reaccionará produciendo hormonas que causen que se almacene o metabolice. Corre colina arriba y tu corazón latirá más rápido. Si tienes dolor, si estas solo o si pierdes demasiada sangre de una lesión, experimentarás tensión.

Mientras que el mecanismo de la tensión (llamado respuesta no específica) es el mismo para todos nosotros, la forma particular en que cada uno de nosotros reacciona a la tensión es diferente. De hecho, se puede reaccionar en diferentes formas a la misma tensión en diferentes momentos. Parafraseando a Hipócrates, "la tensión de un hombre es el éxtasis de otro". Vamos a enfrentarlo, algunas personas desean vehementemente que les den latigazos mientras que otras se desmayan a la vista de la sangre.

Nuestros ancestros tuvieron vidas precarias en que cada día era un reto lleno de tensión con sólo encontrar suficiente alimento para mantenerse vivos. Entonces, ¿por qué hay más problemas en la actualidad? La respuesta se encuentra en el hecho de que el hombre primitivo siempre realizó alguna acción física en respuesta a la tensión y, al hacerlo, la eliminó de su sistema… o mataron bestias salvajes o éstas los mataron a ellos. La acción física necesaria para combatir la tensión, la respuesta de "luchar o huir", quemaba energía, colesterol, hormonas superfluas y, después de un tiempo, la situación volvía a la normalidad.

Las personas están sujetas a diferentes tensiones todos los días pero, a diferencia de nuestros ancestros, no hay adónde huir ni nada para atacar... sólo te quedas sentado sintiéndote enfermo y echando chispas bajo la acción de poderosas hormonas. Suficientes sucesos de este tipo y tarde o temprano el cuerpo o la mente no podrán hacerle frente y fallarán. A eso se le llama psicosomático o enfermedad psicogénica.

Sin embargo, se debería recordar que existen diferentes tipos de tensión y que no toda tensión es mala para ti. Por ejemplo, considera sucesos como casarse, concluir un trato de negocios o ganar una competencia, todos son formas de tensión. Sin embargo, si evitaras todas las tensiones, lo que es imposible, podrías vivir un poco más pero, ¡también podrías morir de aburrimiento!

¿Cómo afecta la tensión a tu cuerpo?

El doctor Selye define la tensión como "la respuesta no específica del cuerpo a las exigencias que se le hacen". Las palabras clave aquí son "no específica", y son las respuestas que no se pueden ver. Sin embargo, *puedes* ver los efectos *específicos* obvios de algunas de las respuestas no específicas, por ejemplo, llorar, desmayarse, estremecerse, sudar, vomitar. Todas son respuestas individuales: varían de una ocasión a la siguiente y de persona en persona. A veces la gente se puede ajustar a algunas tensiones de manera que ya no reaccionan a ellas en una forma particular. Puedes tener una sudoración fría la primera vez que vuelas, pero después de unas cuantas veces, te ajustas gradualmente a eso.

Las respuestas no específicas son las que suceden fuera de la vista, podríamos decir que en la sala de máquinas. La respuesta no específica causa la respuesta específica con el fin de hacer que el cuerpo se ajuste a la situación. Si tienes suficiente frío, tiemblas, temblar es movimiento y el movimiento crea calor, y así se eleva la temperatura del cuerpo.

El cuerpo se ha "ajustado". Con el fin de comprender por qué el cuerpo se ajusta a respuestas no específicas, ayuda saber algo respecto a la producción de hormonas secretadas por el sistema endócrino.

Las glándulas suprarrenales se encuentran encima de cada riñón y producen la hormona adrenalina. Agresión, dinamismo y energía es lo que asociamos con la adrenalina. Sin embargo, las suprarrenales están bajo el dominio de una pequeña glándula que se encuentra en la base del cráneo, llamada pituitaria, y a esta glándula la controla el hipotálamo.

El hipotálamo es una bolsa o ventrículo en el cerebro que actúa como dispositivo de vigilancia de todos los mensajes del exterior y del interior del cuerpo: sonido, sabor, olor, presión sanguínea, acidez, concentraciones de fluido en la sangre y demás. Al hipotálamo también se le llama el "transductor neuroendócrino" ya que convierte (sirve como transductor) los mensajes de los impulsos nerviosos en mensajes endócrinos (hormonales).

Estos mensajes se convierten en sustancias químicas llamadas factores de liberación, sustancias como hormonas, que viajan por un pequeño tallo conectado con la pituitaria, y causan que se envíen hormonas de liberación. Las suprarrenales reciben algunos de estos mensajes químicos (además de otros del sistema nervioso autónomo), ¡y la alarma se dispara!

Que la causa de la alarma sea una enzima en peligro porque ingerimos alimentos que no podemos manejar o porque escuchamos llorar al bebé, la adrenalina se vierte en el torrente sanguíneo. Una vez que sucede, el corazón late más rápido, se eleva la presión de la sangre, se agrandan las vías respiratorias, se aleja la sangre de la piel a los músculos (ahora sabes por qué la cara se pone blanca de miedo) y se interrumpe la digestión.

La sangre, llena de adrenalina, llega entonces a la pituitaria, y causa que más hormonas bajen rápidamente a la otra mitad de las suprarrenales, causando que empiecen a bombear algunas de sus muchas hormonas. Mientras tanto, tiroides, paratiroides, páncreas y glándulas sexuales, empiezan a secretar también algunas de sus hormonas particulares.

El resultado de este juego de manos bioquímico es enviar pequeñas ondas de choque a todo rincón de tu cuerpo, reviviéndolo, por así decirlo, para la acción. Sin embargo, con demasiada frecuencia en la actualidad, no le sigue la acción extenuante que utiliza todas estas funciones.

Las sustancias importantes que liberan las suprarrenales son los gucocorticoides, que aumentan la concentración de azúcar en sangre de manera que esté disponible más energía. En respuesta, el páncreas debe secretar insulina para reducir de nuevo la concentración de azúcar en sangre cuando termine toda la excitación. Por lo tanto, incluso una barra de dulce o el exceso de azúcar pueden actuar como una forma de tensión.

No sólo el páncreas resiente tener que manejar una elevación repentina extra en el azúcar en la sangre, sino que si sucede demasiado a menudo, puede reaccionar en exceso en forma tan violenta que la concentración de azúcar en sangre baje demasiado. Entonces el cuerpo tiene que crear más azúcar (a menudo con las proteínas del cuerpo) o se debe ingerir más azúcar. Y así el círculo vicioso comienza una vez más y el cuerpo está en el poder constante de la tensión bioquímica. Este último ejemplo es una forma de hipoglucemia.

Las suprarrenales también secretan cortisona, que entorpece la respuesta inmune del cuerpo. Te da resfriado, gripe y otras infecciones con más facilidad cuando estás tenso en exceso.

También afecta la tiroides y le dice al cuerpo que aumente su velocidad metabólica. Esto significa que se atacan las reservas de grasa para hacer energía extra, a veces también se fragmentan las proteínas, se disuelve el calcio de los huesos, se usan las vitaminas con más rapidez y el tracto gastrointestinal trabaja extra, a veces produciendo diarrea. Así que cuando todavía estás enfadado y echas chispas horas (o incluso días) después del suceso que causó tensión, la situación se vuelve grave.

Los efectos de la tensión son acumulativos. En otras palabras, se suman y las pequeñas tensiones constantes pueden producir a la larga mayores problemas de salud. Por ejemplo, considera el

EL CONCEPTO DE TENSIÓN EN LA ENFERMEDAD

El doctor Selye reúne todas las diversas miserias del sistema endócrino en un paquete claro, al que llamó el "Concepto de tensión en la enfermedad".

Durante experimentos en que estaba inyectando ratas con diferentes sustancias, notó que todos los animales llegaban a tener glándulas suprarrenales agradadas (una señal clara de trabajo excesivo), su timo, bazo y nódulos linfáticos se encogían y presentaban úlceras.

Al final, descubrió que prácticamente todas las sustancias tóxicas, fueran químicas o drogas, podían causar prácticamente los mismos efectos. Al examinar a los humanos, el doctor Selye encontró que todas estas respuestas ocurrían en todos los tipos de pacientes, sufrieran de cáncer, infecciones o tensión psicológica.

Si el mecanismo es el mismo, ¿por qué la tensión afecta a diferentes personas en tantas formas diferentes, mientras que todas las ratas sólo tenían úlceras? El doctor Selye propuso que se debía a que los animales empleados en experimentos suelen ser de la misma raza, la misma edad, incluso de la misma camada. Mientas que los humanos tienen diferencias ambientales, debilidad hereditaria, diferentes tensiones ocupacionales, diferentes reacciones emocionales y una gran diferencia en su condición nutricional.

Es una cuestión de dónde está el punto débil. Es por eso que la tensión en el trabajo causará presión sanguínea alta a una persona, úlcera a otra y dolor de cabeza a otra. Sin embargo, todas ellas tienen un factor en común, la alarma se activó y las glándulas endócrinas se pusieron a trabajar produciendo sus hormonas.

ruido. Se ha descubierto que las personas que viven cerca de aeropuertos o en las rutas por donde pasan trenes, suelen tener más enfermedades, en especial enfermedades cardiovasculares, que quienes no viven en esos lugares. El ruido es una forma de tensión. Incluso si te acostumbras a él y no lo notas, la alarma del cuerpo se activa cada vez que un avión aterriza o despega.

Con el paso de los años, los efectos a largo plazo de que las hormonas de la tensión salgan a todas las horas extrañas del día y de la noche pueden producir resultados desastrosos: se reducen las respuestas inmunes, los riñones y el corazón trabajan en exceso, la presión sanguínea se eleva, es más probable la diabetes (porque los glucocorticoides tienden a elevar la concentración de azúcar en sangre), y el páncreas tiene problemas para mantener el suministro extra de insulina que se necesita.

Tensión y el alimento que ingieres

En nuestra sociedad moderna, uno de los órganos que trabajan en exceso es el hígado. Esto se debe a que entre otros temas, tiene que continuar cambiando las moléculas del alimento que comemos en otras diferentes… algunas para almacenamiento, algunas para la construcción de tejidos y algunas para anticuerpos.

El hígado también tiene que desintoxicar prácticamente todas las sustancias químicas que ingerimos (anticuerpos, colorantes, conservadores), además de los excesos de grasas, carbohidratos, proteínas y todo el alcohol. Y si todo esto no es suficiente, también tiene que fragmentar muchas hormonas después de que han llevado mensajes.

Si continuamente apilamos más y más trabajo en el hígado (como hacemos cada vez que tomamos una droga, comemos demasiado de algo, bebemos demasiado o ingerimos sustancias químicas) se reduce su energía. Entonces al hígado le queda menos energía para encargarse de las hormonas de "alarma" y por lo tanto permanecen más tiempo en la corriente sanguínea de lo que debieran y se acumulan sus efectos secundarios.

Así que al comer alimentos procesados y refinados en exceso, ponemos a nuestro cuerpo bajo tensiones sutiles pero incesantes. Mientras hacemos esto, agotamos también nuestras reservas de vitaminas y otros nutrientes colaboradores esenciales de nuestro sistema de enzimas. Causamos una tensión excesiva a la maquinaria de nuestro cuerpo y nos volvemos cada vez más susceptibles a una gama completa de enfermedades del cuerpo y de la mente.

No existe una correlación nítida de causa y efecto entre lo que comemos y tener cáncer, bronquitis o depresión, pero podrías encontrar que la contaminación del aire, los aditivos del alimento, además de la incapacidad para adaptarse o manejar algunos alimentos poco saludables, así como las tensiones de la vida moderna pueden dar como resultado la enfermedad. Todos son bioquímicamente únicos: la comida de un hombre es prácticamente el veneno de otro.

Cómo evitar la tensión por la alimentación

1. Averigua si eres apropiado o no para cierto tipo de dieta. Se considera que el vegetarianismo es una dieta saludable. Sin embargo, si resulta que te afectan compuestos naturales que se encuentran en muchas frutas y verduras, llamados salicilatos, tu selección de frutas y verduras sería muy restringida. La mayoría de los nutricionistas pueden hacer arreglos para valorar lo apropiado que sea cualquier dieta dada.

2. Una vez que establezcas una dieta que concuerde con tu metabolismo, decide qué alimentos dentro de ese régimen de dieta causan menos tensión a tu cuerpo. Por ejemplo, podrías saber que eres sensible a ciertos tipos de cereales o que los alimentos lácteos te causan problemas, así que deberían evitarse.

3. Trata de evitar ingerir grandes cantidades de alimentos refinados y procesados. Si te gustan ciertos alimentos que caen en esta categoría, recuerda dar un descanso a tu cuerpo ingiriendo alimentos simples y frescos para permitir que tu cuerpo se recupere.

4. Recuerda complementar la dieta con vitaminas y minerales adecuados para ayudar a que tus enzimas funcionen en forma apropiada. Un suministro adecuado de vitaminas específicas que se ajusten a tus necesidades individuales también ayudará a tu cuerpo a resistir y soportar la tensión.

Mediante seguir estos simples pasos puedes evitar algunas de las tensiones incorporadas cotidianas a que se somete nuestro cuerpo.

No es extraño que todos sepan que trabajar demasiado duro o dormir muy poco son tensiones que se deben evitar o minimizar siempre que sea posible, pero muy pocas se detienen a pensar que los alimentos refinados y procesados con conservadores y aditivos son una fuente de tensión bioquímica sutil pero continua en el cuerpo.

Vamos a imaginar que la salud y la tensión son una balanzas de dos platillos. En un lado tienes "resistencia a la tensión" (50 gramos) y en el otro tienen "tensiones inevitables" (50 gramos). Si tus "tensiones inevitables" son aire contaminado (10 gramos), comidas para llevar (15 gramos) y alcohol (10 gramos), entonces sólo te quedan 15 gramos antes de que se mueva la balanza más allá de tu resistencia a la tensión.

Hay muchas personas que parecen comprender este enfoque a la salud de crédito y débito. No es poco común encontrar fumadores que cuidan más su dieta y toman complementos especiales para minimizar los efectos de fumar, o personas que sólo comen postre si han seguido fielmente su programa de ejercicios.

Estas personas no se engañan, ya que son las pequeñas cosas las que hacen la diferencia, y han comprendido el punto esencial: salud es equilibrio.

7

Síndrome premenstrual

Cuando era niño, las mujeres menstruaban pero *nunca* hablaban al respecto. Sin embargo, en la actualidad el periodo mensual se ha convertido en un tema del que todos podemos hablar con mayor libertad. Después de todo, si existe un problema como es la tensión premenstrual que hace insoportable tu vida y la de tu pareja, entonces se debe hablar al respecto y algo se debe hacer.

En el pasado, la mejor ayuda que se ofrecía era un tranquilizante y lo más frecuente era que a las infelices que tenían el problema se les aconsejara que se controlaran solas. En la actualidad, existe un verdadero cuerno de la abundancia de remedios para la tensión premenstrual, la mayoría en forma de complementos o hierbas nutricionales. Algunos de ellos funcionan para algunas mujeres, parte del tiempo. Sin embargo, existen razones de que sea difícil tratar a todas las que tienen este problema con éxito.

Ahora hemos descubierto que existen muchos tipos diferentes de síndromes premenstruales (lo que no debería sorprender a nadie si se considera que las mujeres son incluso más únicas en el aspecto bioquímico que los hombres) a los que se que podría ayudar mediante diferentes tipos y combinaciones de complementos y dietas.

La investigación y la experiencia de la práctica clínica han mostrado que algunas de nuestras pacientes mejorarán sin importar qué fórmula tomen, mientras que otras no. En muchos casos, he notado que algunas de mis pacientes en realidad empeoran con ciertos tipos de complementos, en especial los que contienen levadura, grandes cantidades de ácido fólico y hierro. Lo mismo se aplica a las dietas: mientras que la mayoría de las mujeres se beneficia de evitar las comidas animales grasosas, algunas en verdad empeoran si cambian a una dieta vegetariana completa.

La tensión premenstrual, como se llama popularmente al síndrome, puede causar cambios de estado de ánimo extremos e incontrolables y, en la mayoría de los casos, *es* tratable siempre que el terapeuta pueda formular un régimen de dieta y complementos que sea apropiado para el individuo.

Tipos del síndrome premenstrual

Los especialistas a menudo dividen a las personas con síndrome premenstrual en cinco subgrupos distintos. En el Centro de Medicina Complementaria y Medioambiental en Sydney, hemos trata-

---

SÍNTOMAS DE TENSIÓN PREMENSTRUAL

Síntomas psicológicos irritabilidad, tensión nerviosa, ansiedad, cambios de estado de ánimo, agresividad, fatiga, incapacidad para soñar, falta de impulso sexual, depresión, mala memoria, incapacidad para pensar con claridad y confusión mental, deseo vehemente de alimentos.

Síntomas físicos inflamación abdominal, aumento general de peso y retención de fluidos, dolores de cabeza, hinchazón y dolor de senos, debilidad muscular, dolores y molestias del cuerpo.

do con éxito muchos miles de pacientes con síndrome premenstrual y reconocido al menos siete subgrupos con síntomas variables para los que una combinación de tratamientos de dieta y complementos pueden ser útiles.

Un caso de tristeza premenstrual y otros problemas

Cuando Sally entró a mi oficina era la imagen clara del abatimiento. "Tengo veintiséis años de edad, ¡y por al menos una semana al mes me siento como de noventa y seis! Me deprimo, tengo un deseo increíble de chocolate (que como hasta hartarme) y retengo kilos de fluidos. Se arruina mi piel y me toma semanas antes de que parezca presentable de nuevo. Para entonces, está a punto de presentarse mi siguiente periodo ¡y todo empieza de nuevo!"

Le pregunté a Sally sobre sus embarazos pasados y me dijo que había sufrido toxemia ambas veces. Cuando escuché esto, le expliqué que se informa que la vitamina B_6 previene e incluso cura la toxemia del embarazo. Es interesante que la misma vitamina también tiene reputación de reducir depresión premenstrual, ansiedad y el brote de problemas de la piel que se asocian con la sensibilidad a los estrógenos. También ejerce un efecto diurético y así ayuda a reducir la retención de fluidos.

Así que receté vitamina B_6 para tomar tres veces al día con las comidas. También le pedí a Sally que tomara vitamina E ya que este nutriente no sólo es un antioxidante útil y reforzador de la circulación, sino que también ayuda a contrarrestar los efectos de cualquier exceso de estrógenos. Después, receté el aceite de hierba de asno, ya que se sabe que reduce muchos de los síntomas de tensión que se asocian con el síndrome premenstrual, en especial los cambios de estado de ánimo. Sin embargo, no tiene efecto alguno en los estrógenos o la retención de líquidos.

Sally comenzó a protestar: "¿Cuántas píldoras deseas que tome? ¡Estaré tan llena que no necesitaré comer!" Sin embargo, le dije que no era todo, ya que dos aspectos de su síndrome premenstrual requerirían atención especial. No sólo deseaba vehementemente y comía hasta hartarse chocolates cada mes, lo que causaba que se estriñera y empeoraba su piel, sino que también sufría de un dolor considerable con su periodo.

Existe un nutriente particular, de hecho un aminoácido, llamado DL-fenilalanina que no sólo actúa como un poderoso analgésico natural, sino que también es un buen antidepresivo y evita que la gente desee vehementemente el chocolate. (La razón es que el chocolate contiene una sustancia química natural, fenilalanina, que se convierte en DL-fenilalanina en el cuerpo.)

Así que era natural que Sally buscara consuelo en el chocolate y la DL-fenilalanina haría el mismo servicio sin que ella se estriñera o que empeorara la condición de la piel. También añadí una fórmula de vitamina C a su régimen ya que su prueba de orina no mostraba prácticamente nada de vitamina C, y este nutriente es un antioxidante poderoso y un antihistamínico natural.

Vi a Sally de nuevo cinco semanas después y se veía como una mujer nueva y al parecer así se sentía. "No podía creerlo", exclamó, "casi ni noté mi último periodo. ¡Llegó casi sin advertencia! Mi piel se ve muy normal y me siento feliz".

1. Síndrome premenstrual por tensión

Entre los síntomas están tensión nerviosa, irritabilidad, ansiedad, agresividad, enojo, cambios incontrolables de estado de ánimo, palpitaciones, accesos de llanto y rabietas, baja libido.

Aunque algunos de los síntomas se pueden asociar con una concentración alta de estrógenos y una deficiencia relativa de progesterona, y tal vez los agraven, los factores más comunes que contribuyen al síndrome premenstrual por tensión son consumo excesivo de alcohol, disminución de la función del hígado, uso de anticonceptivos orales, consumo excesivo de azúcares y carbohidratos refinados, y un estilo de vida tenso.

Estos pacientes parecen beneficiarse de un consumo de calcio (en forma de orato), vitamina B_6, magnesio, zinc, ácido ascórbico y una dieta que contenga una cantidad razonable de proteínas. La espirulina parece ser ideal para estos pacientes. El aceite de hierba de asno también puede ayudar mientras que la vitamina B$_3$ (ácido pantoténico) puede empeorarlos.

Las pacientes de síndrome premenstrual por tensión son candidatas ideales para hipnoterapia, asesoría, bioretroalimentación y otras formas de técnicas de inducción de la relajación, para bajar la tensión.

También hemos descubierto que quienes tienen síndrome premenstrual por tensión suelen tener una sensibilidad elevada al exceso de cobre en su alimento o consumo de líquidos. A menudo beben mucha agua de la llave y emplean la llave de agua caliente para hacer té y café, lo que causa que se consuma cobre adicional. Además de aconsejarles técnicas para beber más seguras, como usar un filtro de agua, son particularmente útiles los complementos de zinc y vitamina C.

SÍNDROME PREMENSTRUAL Y AGRESIÓN

Se ha calculado que 90 por ciento de toda la conducta agresiva en las mujeres tiene lugar cerca del momento de su periodo menstrual, y casi la mitad de todos los crímenes cometidos por mujeres se cometen durante la menstruación o justo antes. Más de la mitad de la población femenina de Australia tiene síndrome premenstrual.

---

2. Síndrome premenstrual por estrógenos

Entre los síntomas está irritabilidad, ansiedad y la mayoría de los síntomas de síndrome premenstrual por tensión, hinchazón y dolor de los senos, sangre menstrual con coágulos, retención de líquidos.

Quienes tienen síndrome premenstrual por estrógenos se diagnostican de otra forma a quienes tienen síndrome premenstrual por tensión, ya que es probable que la causa de su condición sea el exceso de estrógenos, o que éstos la agraven.

En muchos casos, estas mujeres suelen tener deseo vehemente por alimentos en forma periódica, pero no siempre de sustancias dulces. A menudo, los anticonceptivos orales afectan adversamente a las mujeres con síndrome premenstrual por los estrógenos (ya que el contenido de estrógenos empeora la situación) y la progesterona insuficiente (una hormona que se ha empleado con algo de éxito en el tratamiento médico del síndrome premenstrual).

El hipotiroidismo va de la mano con un aumento de la concentración de estrógenos, de manera que se debe examinar con cuidado a cada paciente para función baja de la tiroides.

La concentración excesiva de estrógeno también se asocia a males cardiacos y a algunas formas de cáncer. Carleton Frederick, autor de *Cáncer de seno*, sugiere que el dolor de senos, la hinchazón y la retención de líquidos pueden agravarse por ingerir demasiado ácido fólico y ácido para-aminobenzoico. El ácido fólico aumenta el efecto de los estrógenos y el ácido para-aminobenzoico puede exacerbar sus efectos.

Algunas mujeres con una dieta rica en verduras y baja en proteínas parecen tener problemas menstruales que se invierten cuando se disminuye su ingestión de verduras, en especial de zanahorias. Además del hecho de que muchas verduras son ricas en ácido fóli-

---

ESTRÓGENOS Y LA CODORNIZ DEL DESIERTO DE CALIFORNIA

Los estrógenos actúan como anticonceptivos naturales y se puede ver el delicado equilibrio requerido para esta hormona al investigar la codorniz del desierto de California.

Cuando hay poca lluvia, estas aves parecen anidar menos. Ahora parece que durante una sequía, las semillas de que se alimenta la codorniz producen estrógenos extra. Esto actúa como anticonceptivo y, en consecuencia, se reduce el número de aves que compite por suministros cada vez menores de alimento. Cuando la lluvia es abundante, se diluye el contenido de estrógenos de las semillas y aumenta la población de aves.

co, y esto parece afectar a las mujeres susceptibles, las zanahorias y otras verduras contienen sustancias similares a los estrógenos.

Muchas plantas, como trébol, alfalfa, hojas de centeno y soya, contienen fenoles o isoflavonas vegetales que son sustancias conocidas como fitoestrógenos, ya que imitan la actividad de la hormona femenina natural. Los fitoestrógenos también están presentes en la leche de vaca y son más comunes en la variedad descremada que muchos favorecen en la actualidad.

A las mujeres con síndrome premenstrual por estrógenos se les debe dar grandes cantidades de vitamina B_6, magnesio y zinc pero *no* fórmulas de complejo B (que contienen grandes cantidades de ácido fólico), ácido para-aminobenzoico, pantotenato de calcio o calcio. Aunque se recomienda la vitamina C, se debe tener cuidado en no usar fórmulas de ascorbato de calcio, ya que esto podría reducir la concentración de magnesio (que es esencial en todos los casos y tipos de síndrome premenstrual). Las mujeres con síndrome premenstrual por estrógenos por lo general tienden a consumir grandes cantidades de productos lácteos. Se deben evitar las grasas animales, al igual que cualquier producto que contenga levadura, ya que tiene un efecto estimulante en la actividad de los estrógenos (*Science* 1984, vol. 224, pág. 109).

Un exceso de serotonina en el cerebro (5HT), a menudo puede causar agresividad, irritabilidad y cambios de estado de ánimo. Como los estrógenos pueden estar contribuyendo ya a una elevación de estos neurotransmisores, se deben tomar con cuidado las dietas que contengan triptofano. Mientras que la vitamina B_3 (niacina o niacinamida) puede ser algo útil, se debe tener cuidado con los excesos en que la persona se la recete ella misma. Cierta cantidad de carbohidratos, alrededor de 30 g o el equivalente de un plátano, suele facilitar la transferencia de triptofano al otro lado de la barrera hematoencefálica, como puede cualquier alimento que eleve la insulina. Pero, por supuesto, depende de las cantidades de triptofano que contenga la porción restante de alimento. No se deberían tomar con dulces las comidas con altas proporciones de triptofano.

El hígado ayuda a que el cuerpo se libere del exceso de estrógenos, así que cualquier alimento que reduzca la función del hígado, como los medicamentos hepatotóxicos, se deberían evitar o vigilar con cuidado.

Cantidades insuficientes de aminoácidos (que proporcionan energía al hígado), deficiencias del complejo B y el consumo de alcohol que no sea moderado (1 o 2 bebidas por día con la comida) pueden agravar el síndrome premenstrual por estrógenos y se debería someter a revisión a todos los pacientes para buscar antecedentes de hepatitis y otras enfermedades del hígado.

La vitamina B_{15} (ácido pangámico) puede ser útil en estos casos. De nuevo, magnesio y vitamina E, junto con aceite de hierba de asno, sin invaluables en esta condición, en especial porque se dice que la vitamina E (tocoferol) produce cierto efecto antiestrogénico.

Los estrógenos también pueden afectar el equilibrio de la renina (una enzima que tiene un papel importante en el mantenimiento de la presión sanguínea) y la angiotensina (un péptido que es capaz de causar la constricción de los vasos sanguíneos). La renina causa que se produzcan mayores cantidades de angiotensina, lo que causa presión sanguínea alta.

Alimentos ricos en vitamina E

aceites, prensados en frío	lechuga
cacahuates	margarina
camote	mayonesa
filete de salmón	perejil
germen de trigo	verduras (de hojas verde
huevo	oscuro comestibles)
leche	

Alimentos ricos en vitamina B_{15} (ácido pangámico)

almendras	hueso de chabacano
germinado de arroz	levadura (de cerveza)
hígado	salvado de arroz

ALÉRGENOS Y ADICCIONES

La lista de alérgenos potenciales es interminable, pero, aparte de las sustancias tóxicas, los infractores más comunes son maíz, trigo, azúcar, café, chocolate, leche, malta, cebada y levadura.

Si examinas los alimentos de la lista anterior con cuidado, te darás cuenta que tal vez sean de los ingredientes más comunes que usamos. Los comemos con mucha frecuencia, a menudo sin darnos cuenta.

Es posible volverse adicto a una sustancia porque se come con demasiada frecuencia o en grandes cantidades. La mayoría o todas las alergias a los alimentos se "disimulan" porque son, de hecho, adicciones.

En cuanto comienzan los síntomas de abstinencia, uno come el alimento infractor de nuevo y por lo tanto, disimula con éxito la alergia. Los adictos al café, al chocolate y los fumadores, todos se sienten mejor después de ingerir su toxina. Por lo tanto, ten cuidado, a menudo el alimento alérgico es el que en realidad te gusta y comes mucho.

3. *Síndrome premenstrual con alergia*

Casi todo el espectro de síntomas puede tener su origen en una alergia o intolerancia subyacente sin diagnosticar o "disimulada" a alimentos o sustancias químicas comunes.

A menudo, pero no siempre, las hipersensibilidades de este tipo están mediadas por el sistema inmune y las pruebas estándar de perfiles de alergias son un buen punto de inicio en el proceso de diagnóstico. Sin embargo, no se deben tomar las pruebas estándar como la respuesta completa a menos que les siga una serie de pruebas de provocación y reto.

Los alimentos y sustancias químicas más comunes de activación parecen ser levadura, trigo, gluten, leche y polvo de casa, aunque he visto casos de pacientes con síndrome premenstrual por alergia que eran hipersensibles a su propio lápiz labial (a menudo una alergia a la raíz de lirio de Florencia), al perfume o algunos alimentos comunes como lechuga y papa.

4. Síndrome premenstrual con candida

La candidiasis (aftas) es una enfermedad común causada por un hongo tipo levadura llamado *Candida albicans*, es responsable de muchísimos problemas de salud. He visto más mujeres con síndrome premenstrual por candidiasis sistémica que casi cualquier otro grupo individual.

A estas mujeres se les debe tratar primero la candidiasis subyacente (evitar todos los alimentos que contienen alcohol y levadura) y mantenerlas bajo observación por síntomas de síndrome premenstrual. Sólo cuando no desaparecen los síntomas de síndrome premenstrual se deben empezar a buscar otras causas para los problemas menstruales.

5. Síndrome premenstrual con hipoglucemia

Estas pacientes tienden a sufrir grandes fluctuaciones en la concentración de azúcar en la sangre. A menudo están muy cansadas y se sienten mareadas y con confusión mental, en especial al despertar o a media tarde. Estos síntomas tienden a empeorar cuando no comen y suelen ingerir grandes cantidades de azúcar.

Aparte de la prueba de tolerancia a la glucosa, los síntomas y signos más comunes de este grupo son el momento y la gravedad de sus ataques en relación con la cantidad de alimento, en especial dulces, que ingieren. Pueden tender a desmayos y a menudo lloran sin razón aparente. Imitan los síntomas "neuróticos" clásicos y a menudo así las llaman los maridos y médicos impacientes.

Son particularmente sensibles a azúcares y a menudo tienen una actividad excesiva de insulina. Ajo, cromo y complementos de levadura afectan la actividad de la insulina y pueden agravar esta condición.

Quienes tienen síndrome premenstrual por hipoglucemia inevitablemente son deficientes en magnesio y necesitan fuertes complementos de vitamina B y zinc. El zinc ayuda a la síntesis y liberación de ácido gamma linoleico, que reduce los síntomas de síndrome premenstrual en general. La vitamina B_3 se empela en la conversión de ácido gamma linoleico en prostaglandina, que es una sustancia similar a las hormonas que ayuda con los síntomas físicos y mentales del síndrome premenstrual.

Alimentos ricos en zinc

arenque	huevo
arroz, integral	leche
atún	levadura (de cerveza)
avena	nuez de Brasil
cangrejo	ostras
carne de puerco	riñones
carne de res	salvado
cereales	semillas de calabaza
cordero	semillas de girasol
hongos	ternera

Alimentos ricos en magnesio

aguacate	frijoles de soya
ajonjolí	frijoles en salsa de
almendras	jitomate
arroz	frutas cítricas
avena	germen de trigo
cacahuates	jitomate (crudo)
cangrejo	lentejas
carne de pollo	maíz
carne de puerco	melaza
carne de res	nuez
castañas	nuez de Brasil
cebada	papas
chabacano, deshidratado	pescado (lenguado, salmón,
chícharos	atún)
dátiles	verduras (de hoja comestible
durazno	verde oscuro)
frijoles	zanahoria (cruda)

El aceite de hierba de asno es una de las mejores fuentes de ácido linoleico y ácido gamma linoleico (aparte de la leche de pecho) y tal vez sea una de las razones de que este complemento haya demostrado ser tan útil en el tratamiento del síndrome premenstrual.

Al mismo tiempo, las grasas animales son antagonistas de algunos de estos útiles procesos y, por lo tanto, deberían evitarse o reducirse drásticamente, al igual que la sal de mesa.

Algunos escritores han sugerido que pueden ser útiles cantidades abundantes de cereales y legumbres sin refinar; sin embargo, nuestra experiencia clínica ha mostrado que esto a veces puede ser contraproducente. Ante todo, muchos pacientes tienen intolerancia a los cereales (en especial a salvado, trigo maíz), y en segundo lugar, algunos de estos productos, como las legumbres, tienen concentraciones particularmente altas de ácido fítico que bloquea la absorción de zinc. Tomar complementos de zinc con el estómago vacío podría superar este problema.

Cada caso es diferente porque la gente puede ser intolerante a algunos alimentos y no a otros. Una intolerancia tiende a irritar las paredes del intestino y esto puede causar problemas con la absorción.

A los hipoglucémicos les suele ir mejor con una dieta rica en proteínas pero, al mismo tiempo, deberían evitar el exceso de grasas. Las carnes de animal contienen antibióticos y estrógenos y estos dos factores pueden agravar a quienes son hipoglucémicos.

Una forma de superar algunos de estos problemas es incluir espirulina en un régimen de dieta que conste de pequeños bocadillos con un buen equilibrio de verduras y cereales no alergénicos, como arroz integral y mijo. La espirulina contiene todos los aminoácidos necesarios sin proceder de fuentes animales.

6. Síndrome premenstrual con depresión

Este grupo se caracteriza por depresión premenstrual severa y, a veces, tendencias suicidas. En la mayoría de los casos, si no es en todos, una de las primeras acciones prácticas a realizar es administrar una prueba de diagnóstico de Hoffer y Osmond para valorar la posibilidad de suicidio y definir cuantitativamente el papel que tiene la depresión endógena pura en la expresión general del trastorno psicológico. También ayuda descubrir si el paciente tiene un problema psiquiátrico subyacente que se confunda con el síndrome premenstrual y que éste a menudo lo disimule.

Algunos de estos pacientes pueden beneficiarse de los anticonceptivos orales ya que suelen tener una proporción relativamente alta de progesterona a estrógenos. Invariablemente tienen deficiencia o dependen de vitaminas del complejo B, en especial de vitamina B_6 y magnesio.

Es común la intoxicación de metales pesados, en especial plomo, y muchas de estas mujeres encuentran que están peor después de realizar ejercicio físico, en especial de trotar en una ciudad. Esto se debe en parte a que pasan más aire contaminado por sus pulmones y en parte a que la caída del pH de los fluidos del cuerpo después del ejercicio tiende a liberar el plomo a la corriente sanguínea.

El cobre también es un problema, ya que puede causar de manera indirecta una reducción de algunos neurotransmisores en el cerebro.

Quienes tienen síndrome premenstrual por depresión tal vez sean las únicas pacientes para las que a veces recomendamos triptofano, y cuando se hace, a menudo añadimos DL-fenilalanina y tirosina en su régimen de complementos.

Por lo general, cualquier forma de tensión las afecta en forma muy negativa (el síndrome de "no puedo enfrentarlo"), pero la participación de las suprarrenales varía en gran medida. Muchas sufren de hipoadrenocorticismo (agotamiento de las suprarrenales) y se benefician de complementos adicionales de vitamina B más gingseng siberiano. Una revisión cuidadosa de los antecedentes médicos y algunas pruebas especializadas a menudo pueden señalar a este grupo.

Sin embargo, algunas tienen estimulación excesiva de las suprarrenales, en especial durante las primeras fases del síndrome, lo que en cualquier caso a menudo precede al agotamiento de las suprarrenales. Vitamina B$_5$, ginseng y el exceso de vitamina C podrían causar un empeoramiento de los síntomas cuando las glándulas suprarrenales se estimulan en exceso. Una de las pistas es que estas pacientes son muy cíclicas en sus respuestas a la tensión, y puede variar de la necesidad de aislamiento total y evitar las señales sensorias que llegan (en ese momento ni siquiera les gusta hablar) a la necesidad de estimulación mental o física.

7. Síndrome premenstrual con retención de líquidos

Aunque este grupo comparte muchos signos y síntomas con quienes tienen síndrome premenstrual por estrógenos, el mecanismo hormonal-metabólico en que se basa puede ser muy diferente.

Retención de líquidos, hinchazón abdominal, congestión de los senos, aumento de peso y el deseo vehemente de alimentos salados y dulces son comunes a ambos grupos. Sin embargo, la sangre menstrual tiene coágulos con menos frecuencia y el cansancio no es una característica predominante.

A menudo la ingestión excesiva de alcohol y la reducción de la función del hígado existe junto con cierta medida de hiperinsulinismo en estos pacientes. A menudo están bajo una tensión continua aunque no necesariamente excesiva que, como aumenta la secreción de aldosterona (una hormona de la tensión que causa que el cerebro retenga sodio), conducirá a una mayor retención de líquidos.

Se ha demostrado que algunas pacientes de síndrome premenstrual con retención de líquidos tienen deficiencia de dopamina (Kuchel D., Cuche J. L. *y otros*, 1977), que a su vez puede afectar el equilibrio de sodio y magnesio. Por esta razón, pueden ser útiles tirosina y DL-fenilalanina.

Guías de la alimentación

Casi todos los casos de síndrome premenstrual responden favorablemente al aceite de hierba de asno, y los complementos de magnesio, zinc, vitamina E y vitamina B_6. En algunos casos, se deben alterar las proporciones de las vitaminas. Por ejemplo, el aceite de hierba de asno no parece influir en la retención de líquidos mientras que su respuesta a la vitamina B_6 parece ser muy buena.

A continuación están algunas pautas básicas de dieta:

- Las personas que producen exceso de estrógenos y tienen hipotiroidismo subclínico pueden beneficiarse de evitar a los miembros de la familia de la col (coles de Bruselas, coliflor, soya, cacahuates) y carnes animales, en especial, carne roja.

- Todas las personas con síndrome premenstrual deberían reducir los alimentos ricos en azúcar, incluyendo miel, frutas deshidratadas, jugos de fruta sin diluir y postres dulces.

- Toma mucha vitamina C, vitamina B_6 y magnesio, y también un poco de zinc.

- Toma un buen complemento de complejo de vitamina B, pero evita los que contienen demasiado ácido fólico (no más de 50 microgramos) y exceso de ácido para-aminobenzoico (no más de 50 miligramos).

- La ingestión de alcohol, café, té, chocolate y sal, debe ser tan baja como sea posible.

- Ten mucho cuidado de adoptar una dieta restrictiva específica, en especial si varía mucho de tu dieta normal. Antes de cambiarla, examina la posibilidad de intolerancias y alergias a los alimentos, ya que no tiene caso liberarse del síndrome premenstrual si terminas con colon irritable.

El aceite apropiado: aceite de hierba de asno

Cuando la doctora inglesa Caroline Shreeve terminó en el tribunal de divorcios porque su irritabilidad extrema había vuelto imposible que se llevara bien con su marido, decidió examinar las razones de su conducta. En los cinco años anteriores había tenido síntomas extremos de síndrome premenstrual.

La doctora Shreeve decidió que era el momento para buscar una posible cura. Lo intentó todo: restricciones de líquidos y sal, "útil pero no suficiente", yoga y relajación, "maravilloso en casi todas las ocasiones, pero en el momento muchas mujeres no sienten estar haciendo algo sensato", terapia de vitaminas, "con seguridad es parte integral de cualquier tratamiento exitoso pero no es suficiente para muchas personas", diuréticos, "pueden causar más problemas de lo que ayuda", progesterona, "muy útil, pero no responden todas las mujeres que deberían responder a este tratamiento", la píldora, "demasiadas preocupaciones por los efectos secundarios", tranquilizantes, "no logran nada" y vitamina B_6, "útil sólo en quienes tienen deficiencia de esta vitamina por principio de cuentas". La doctora Shreeve no estaba llegando a ninguna parte.

En 1981, la doctora Shreeve se casó de nuevo, esta vez con un psicoterapeuta, y durante el mismo año, asistió a un simposio médico internacional, ¡donde escuchó al doctor Michael Brush del hospital de St Thomas, Londres, hablar de una serie de pruebas cruzadas doble ciego en el tratamiento del síndrome premenstrual con una flor!

Para ser más precisos, era el extracto de una flor inglesa de color amarillo brillante llamada hierba de asno (*Oenothera biennis*). Sus semillas se prensan y producen un aceite que es una fuente rica de un ácido graso esencial poco común llamado ácido gamma linoleico. (Una de las pocas fuentes naturales de ácido gamma linoleico es la leche de pecho.)

Los ácidos grasos esenciales, o poliinsaturados, tienen el ingrediente activo ácido linoleico con el que el cuerpo hace ácido gamma linoleico. Sin embargo, en cuanto el aceite poliinsaturado se calienta, desodoriza, hidrogena o se procesa artificialmente de otra manera, el ácido linoleico cambia a una forma "mala" que en realidad bloquea la síntesis adicional de ácido gamma linoleico.

Además, las dietas ricas en grasas animales y alcohol, con cantidades insuficientes de zinc, magnesio o vitamina B_6, y las infecciones virales y diabetes, también pueden bloquear la síntesis de ácido gamma linoleico.

El ácido gamma linoleico se convierte en prostaglandina, que es una sustancia ubicua semejante a las hormonas que ayuda a reducir la presión sanguínea, impide inflamaciones, activa la insulina, produce una sensación de bienestar en muchas personas y alivia los síntomas físicos y mentales del síndrome premenstrual.

De hecho, la doctora Shreeve afirma que una deficiencia de ácido gamma linoleico es una de las causas principales de síndrome premenstrual y otros síntomas que se asocian a este síndrome. También afirma que el "aceite bueno" puede reducir la concentración de colesterol, bajar la presión sanguínea, mejorar los eczemas, corregir las uñas quebradizas, reducir la severidad de las resacas, ayudar en el tratamiento de la hiperactividad y que se ha empleado experimentalmente en el tratamiento de la esclerosis múltiple.

La doctora Shreeve escribió luego un libro sobre el síndrome premenstrual llamado *Síndrome premenstrual, la maldición que se puede curar*.

8

Hiperactividad y dificultades de aprendizaje de los niños

Uno de los factores difíciles para comprender la hiperactividad es distinguir la verdadera conducta hiperactiva de la inquietud y curiosidad normales de los niños.

Aunque es cierto que algunos de los síntomas de hiperactividad pueden ser una extensión normal de los patrones de conducta, también está claro que a algunos niños los afectan adversamente factores del medio ambiente y del estilo de vida. Las dificultades que experimentan estos niños, y sus padres, causan que la hiperactividad sea un problema angustioso y grave, pero que se puede curar.

Cualquier forma de conducta anormal, como la hiperactividad, puede ser resultado de una enorme gama de factores: tensión emocional, medios ambientes difíciles o restrictivos, abuso psicológico o físico. Un profesional competente, por lo general, un psiquiatra o psicólogo infantil, debería evaluar en forma apropiada estas y otras posibilidades psicodinámicas. Sin embargo, existe un conjunto creciente de evidencias científicas que muestran que la exposición a sustancias químicas de uso común (como aditivos del alimento), algunos nutrientes y la mala nutrición causan alergias o intolerancias en los niños.

Por desgracia, estas alergias e intolerancias no sólo causan problemas de conducta sino que también influyen en la habilidad para aprender del niño. Por lo tanto, no es extraño encontrar que los niños hiperactivos también parezcan ser personas que aprenden

HIPERACTIVIDAD Y HERENCIA

No se puede descartar la herencia como factor que contribuye a la hiperactividad. La proporción de niños y niñas para la hiperactividad es de 8:1 y algunos psiquiatras piensan que más niños sufren sensibilidades al alimento porque pasa a los niños a través del cromosoma X de la madre (como con la ceguera a los colores y la hemofilia), en especial si es un caso de enzimas defectuosas.

Un niño tiene una posibilidad de 50 por ciento de heredar el cromosoma X con sensibilidad a los alimentos y no recibe un cromosoma X de su padre para heredar esta tendencia.

La tendencia a la sensibilidad del alimento heredada de la madre es recesiva o la disimula el cromosoma X no defectuoso del padre y, por lo tanto, es poco probable que las hijas hereden este trastorno. Por supuesto, aún pueden sufrir por los factores ambientales en lugar de los hereditarios.

con lentitud. Paradójicamente, esto sucede a pesar del hecho de que estos niños por lo general son muy inteligentes.

¿Difícil de creer? Sólo imagina tratar de leer y comprender un papel legal o un artículo científico mientras alguien te hace cosquillas en la oreja o en los pies con una pluma. La distracción neurológica constante de las cosquillas dificultaría que te concentraras y comprendieras lo que lees, ¡sin importar lo inteligente que seas! Las alergias o intolerancias al alimento y las sensibilidades a sustancias químicas actúan de la misma manera: irritan constantemente el sistema nervioso del niño y le dificultan concentrarse y aprender.

Signos y síntomas

Muchos niños hiperactivos tienden a exhibir cierta medida de ansiedad o depresión y a menudo están tensos. A veces, estos niños son aletargados, tienden a dormir o estar recostados sin hacer nada por horas, incluso días seguidos, sólo para surgir de su aletargamiento y comenzar a actuar en forma muy agresiva y destructiva sin razón aparente.

Algunos niños son muy alérgicos y les gotea la nariz, tienen moco en la garganta, sinusitis, fiebre de heno, asma, erupciones de la piel y problemas digestivos como intestino suelto, diarrea o estreñimiento. A menudo muestran hinchazón abdominal después de comer y sus ojos tienden a ser llorosos y a veces rojos e irritados, en especial al despertar.

No todo niño hiperactivo muestra todos, o siquiera la mayoría de los síntomas. Pero si suficientes de ellos están presentes, es una posibilidad que tu hijo sufra de hiperactividad.

Causas

Sensibilidad a los aditivos de alimentos

Tal vez el científico más conocido en la investigación de las causas de la hipersensibilidad fue el doctor Ben Feingold, del Centro Mé-

Hiperactividad

Síntomas del sistema nervioso	Otros síntomas médicos
Hiperactivos, salvajes, desenfrenados, distraídos, perturbadores	Nariz tapada o que gotea, estornudos, rascarse la nariz
Conversadores	Dolores de cabeza, espalda y músculos del cuello; "dolores del crecimiento" o dolores no relacionados con el ejercicio
Poca capacidad para mantener la atención	Problemas estomacales, náusea, molestias estomacales, mal aliento
Torpeza, temblores, falta de coordinación	Estómago con gases, eructos
Piernas inquietas, tamborilear con los dedos	Inflamación, vómito
Insomnio, pesadillas, incapacidad para dormir	Diarrea, estreñimiento
Nervioso, irritable, molesto, irascible	Problemas de vejiga, de día y de noche, mojar la cama, urgencia, ardor o dolor con la orina
Muy tenso, excitable, agitado	Círculos pálidos u oscuros en los ojos o hinchazón abajo de ellos
Malhumorado, cansado, débil, agotado, inquieto	Glándulas o nódulos linfáticos del cuello hinchados
Deprimido	Problemas de oído, líquido constante detrás del tímpano, zumbido en los oídos
Llora con facilidad, se siente herido con facilidad	Mareo
Muy sensible al olor, luz, sonido, dolor y frío	Transpiración excesiva, fiebre ligera

Signos y síntomas conductuales

Mecer la cuna o sacudir la cabeza durante la primera infancia

Agresivo y problemático en la casa y la escuela

Toca todo y a todos

Molesta a otros niños

No responde a la disciplina

Conducta impredecible

Tiene pánico con facilidad, tiene rabietas

Todo lo que desea, ¡es AHORA!

Se mueve mucho

No se puede sentar inmóvil

No termina los proyectos

Acaba con muebles, juguetes, etc. Destructivo

Pelea con otros niños

Se niega a seguir instrucciones

Torpe... tiene dificultades con acciones como abotonarse o atarse los zapatos

Por lo general es muy inteligente pero tiene dificultades de aprendizaje

Difícil de llevar a la cama y dormir

Se levanta temprano

Miente

Moja la cama

A veces tiene dificultades para hablar

dico Permanente Kaiser, en San Francisco, California. En la década de 1960, el doctor Feingold descubrió que añadir algunas sustancias químicas a nuestro alimento podría provocar una reacción en niños susceptibles que se manifiesta como conducta hiperactiva.

El doctor Feingold afirmó que había demostrado irrefutablemente una relación de causa y efecto entre los aditivos de los alimentos y la conducta hiperactiva. La prueba más convincente fue la capacidad para detener y después provocar la reacción en niños hiperactivos al retirarse y después volver a administrar la sustancia dañina.

> ### Colorante rojo de alimentos
>
> Mientras trabajaba en el problema de la irritación causada por mordidas de pulga, el doctor Feingold descubrió que los colorantes, en especial los rojos, eran un factor importante en la conducta hiperactiva. No es tan extraño como parece, ya que la cochinilla, el color rojo tradicional de los pasteles se hace, o hacía, con los cuerpos prensados de pequeños insectos que comen cactus. Son las secreciones que se forman en el cuerpo de la pulga lo que causa la mayor parte de la irritación cuando nos muerden.

Millones de niños en todo el mundo se han sometido a la "dieta Feingold" y se han beneficiado de ella. El doctor Feingold también descubrió que muchos niños son extrañamente sensibles a un "primo" químico del salicilato (el ingrediente común en la aspirina), que se encuentra en algunas frutas y verduras.

La dieta recomendada por Feingold consistía en eliminar todos los alimentos que tuvieran colorante, que estuviera conservados, enlatados, fueran instantáneos o que se supiera que contuvieran aditivos químicos. Al mismo tiempo, también se evitaban todos los alimentos que contuvieran salicilatos naturales. Entre ellos están almendra, manzana, chabacano, zarzamora, clavo, pepino, encurtidos, grosella, uva espinosa, pasas, sabores de menta, nectarina, naranja, durazno, ciruela, ciruela pasa, fresas, tés de cualquier tipo, jitomates y aceite de gaulteria.

La dieta de Feingold es responsable de curar hasta alrededor de 40 por ciento de los niños hiperactivos y puede ayudar hasta a 60 por ciento. Sin embargo, también es un hecho que muchos niños no responden o responden sólo en parte a este tratamiento.

Entonces, ¿cuál es la razón de esta tasa de fracasos? En el momento de la investigación del doctor Feingold, otros científicos estaban ocupados en examinar el papel que tienen nutrientes, olores, gases, metales pesados y otras sustancias en la alteración de la conducta humana. Varios científicos en centros de Estados Unidos, Europa y Australia se empezaban a dar cuenta de una gama más amplia de posibles factores.

Hipoglucemia

También se descubrió que gran cantidad de niños hiperactivos sufren de fluctuaciones anormales en la concentración de azúcar en la sangre: son hipoglucémicos.

Hipoglucemia significa "poca azúcar en la sangre" y se produce cuando se ingieren azúcares, carbohidratos refinados u otras sustancias que elevan el azúcar en la sangre (en especial con el estómago vacío). El cuerpo reacciona en exceso al producir sustancias químicas que causan que baje en picada la concentración de azúcar en la sangre. Por diversas razones, el azúcar en la sangre puede no volver a la concentración normal a menos que se ingieran cantidades adicionales de dulces. Durante este periodo, mientras la concentración está baja, el individuo se encuentra en un estado de tensión bioquímica. En forma muy similar a un drogadicto o un alcohólico, necesitan otra dosis. A menudo se clasifica a esta gente como "adictos al azúcar"... son adictos a sustancias que elevan el azúcar en la sangre.

Todas estas subidas y bajadas metabólicas desestabilizan el sistema nervioso y pueden causar diversos síntomas conductuales, incluyendo hiperactividad. A menudo es imposible para el niño concentrarse o estudiar y de inmediato se atrasa en su trabajo escolar.

También es importante comprender que en algunos individuos la concentración de azúcar en la sangre puede caer de un nivel alto a límites más bien normales, pero caen con tal rapidez que afecta adversamente el sistema nervioso. También se debe considerar que lo que es una concentración normal para un individuo puede ser demasiado baja para otra.

El otro punto esencial es que aunque el azúcar puede activar la caída, cualquier sustancia a la que el individuo sea sensible (alérgico o intolerante) puede causar que caiga la concentración de azúcar en la sangre. A veces, las personas que sufren de este problema

---

PRUEBAS DOBLE CIEGO

Para 1950, el doctor William Crook, otra personalidad importante en las alergias del medio ambiente, estaba llevando a cabo los primeros estudios "doble ciego" en esta área, con un paciente joven que tenía problemas con la leche.

En una prueba doble ciego nadie (paciente, padres o médico) sabe cuál medicamento era placebo (una sustancia inofensiva que se da deliberadamente) y cuál era la sustancia de que se sospecha.

En este caso, el paciente del doctor Crook se sintió muy bien las primeras dos semanas, pero después de cambiar al segundo conjunto de tabletas en la semana tres (eran las que contenían leche), reaparecieron síntomas como nariz goteante, fatiga, dolor de estómago, dolor de cabeza, depresión e irritabilidad en tres días.

---

muestran los síntomas opuestos a la hiperactividad. Siempre están cansadas, soñolientas, aletargadas y nunca acaban nada.

Sensibilidades a mohos, hongos, fermentos y levaduras

Fue entonces que descubrió que muchos de los niños hiperactivos también eran hipersensibles o alérgicos a hongos. Después de que los pusieron en una dieta libre de levaduras o moho, que se les administraron antimicóticos cuando era necesario, y que se había limpiado de mohos su ambiente, se hicieron pruebas y se desensibilizaron los niños. Sólo entonces mejoró su conducta.

Deficiencias o desequilibrios de minerales

La causa puede ser la ingestión excesiva de minerales o la contaminación con ellos.

El exceso de cobre puede proceder del agua para beber (por las tuberías de cobre) o del alimento (por las cacerolas de cobre), lo que conduce a una deficiencia relativa de zinc (ya que el zinc compite con el cobre respecto a la absorción). Por lo general, el cobre tiende a aumentar la excitación nerviosa, mientras que el zinc tiene un efecto tranquilizador en los nervios. Por lo general, las verduras congeladas tienen deficiencia de zinc y las dietas vegetarianas que tienen demasiados frijoles de soya pueden elevar el cobre a niveles inaceptables.

Intoxicación de metales pesados

Existen algunas personas tan sensibles a ciertos gases y olores que causan que actúen en forma extraña. Puedo recordar un caso en que la loción para después de afeitarse del padre afectaba al hijo.

Las causas más comunes de irritación pueden ser estufas de gas, aerosoles y perfumes, y, por supuesto, plomo de los escapes de los autos. ¿Está el campo de juegos de tus hijos junto a una carretera con mucho tráfico, o lo que es peor, en un cruce de caminos?, ¿compras frutas y verduras de puestos en la esquina? De ser así, pueden ser fuentes de metales pesados indeseables.

ALIMENTO CHATARRA E HIPOGLUCEMIA

En una serie de pruebas para niños problema en una escuela de las afueras de Sydney, en el lado occidental (un área famosa por elevada concentración de contaminación en el aire, niños con alergias, asma y dificultades para aprender), se encontró que más de 75 por ciento de los niños eran hipoglucémicos.

Cuando estas fluctuaciones se corrigieron eliminando alimentos chatarra y azúcares de la dieta y se incluyeron vitamina C, vitamina B, magnesio y zinc, la mayoría de los niños mejoró en forma notable. Otra serie de investigaciones descubrió que estos niños también eran sensibles a la fructuosa (el azúcar que se encuentra comúnmente en frutas) y sacarosa (azúcar de caña). Se encontró que una pequeña cantidad reaccionaba mal a las frutas deshidratadas.

Una dieta que eliminaba todos los azúcares, incluyendo miel y frutas deshidratadas, ayudó a un número considerable de niños hiperactivos. Mientras tanto, en forma totalmente accidental, se descubrió otro sospechoso: la levadura.

Sensibilidad a sustancias químicas inhaladas

Desodorantes en rociador, fijadores para el pelo, limpiadores para horno y docenas de sustancias y productos caseros de uso común que se encuentran en la escuela de tus hijos pueden causar una reacción alérgica y, por lo tanto, síntomas de hiperactividad.

Tratamiento

Muchos niños hiperactivos pueden comer algunas o todas las frutas y verduras excluidas en la dieta de Feingold después de que se han eliminado algunos de los otros factores que contribuyen y que se discutieron en "Causas" en las páginas previas.

Parece que muchas de estas alergias o intolerancias suceden por una combinación de factores. Si un niño es alérgico a moho, polvo o pólenes, se puede reducir la sensibilidad a salicilatos después de que se han resuelto estas otras alergias. Lo opuesto también es cierto. Un niño que continúa comiendo algo a lo que es alérgico es más probable que muestre síntomas cuando se expone a pólenes u otros factores transportados por el aire.

Una vez que están en la dieta apropiada, muchos de estos niños alérgicos pueden tolerar algo de exposición a polvo, pólenes y otras sustancias sin que lo afecte con severidad. En muchos casos, cuando se ha establecido una sensibilidad, es posible que el niño la pierda después de varios meses. Es más común con alimentos o alergias por inhalación que con los aditivos químicos del alimento.

A veces es posible desensibilizar a los pacientes con gotas para alergia bajo la lengua, mientras que en otras ocasiones una técnica de neutralización, conocida como titulación serial, es lo que se necesita.

La titulación serial se lleva a cabo provocando los síntomas con un extracto de la sustancia sospechosa y luego diluir cada vez más el extracto. Se da cada dilución al paciente para asegurarse si puede desconectar o neutralizar los síntomas. Si no puede hacerlo, se diluye más hasta que se encuentre una dilución del extracto que sea capaz de detener el síntoma. Entonces se prepara una vacuna y el paciente la toma para neutralizar la alergia.

Después de un tiempo apropiado, algunos de estos niños pueden empezar a comer los alimentos problemáticos en una dieta de rotación de cuatro días; es decir, el alimento se puede tomar una vez cada cuatro días.

Quiero dejar muy claro que todo lo que he dicho hasta el momento se debe tomar como si significara que es un caso de "uno y otro". No es poco común que un niño hiperactivo sea hipoglucémico, sensible a sustancias químicas, que sufra de sensibilidad al gluten o sea alérgico a factores del medio ambiente. Cada uno de ellos puede ser la causa o ser sólo un factor en el problema completo.

A menudo puede suceder que un individuo tenga varias sensibilidades o alergias y que el problema tenga varias causas. En algunos casos, se debe eliminar cada una de ellas antes de que el niño funcione de nuevo con normalidad. En otros casos, encargarse de los más importantes fortalecerá la propia habilidad del cuerpo lo suficiente para superar las sensibilidades restantes hasta un punto en que no causen síntoma alguno.

Por encima de todo, es obligatoria una evaluación completa para cada caso. Recuerda, cada uno de nosotros es un individuo único, tanto en lo bioquímico como en lo psicológico.

La dieta Feingold

Después de que has eliminado todos los alimentos con colorantes y sabores artificiales de la dieta de tu hijo, como el doctor Feingold recomienda en la página 161, el siguiente paso es revisar los alimentos comunes y cotidianos ya que pueden estar involucrados en una intolerancia disimulada.

Las pruebas de alergia en piel no son muy útiles para identificar sensibilidades a los alimentos, aunque son útiles para descubrir alergias a polen, polvo de casa, ácaros, restos de la piel de animales y otras sustancias inhaladas. Sin embargo, es más probable que las pruebas intradérmicas y sublinguales indiquen sensibilidades a los alimentos con la ventaja extra de que el terapeuta puede entonces preparar vacunas de insensibilización (gotas) u otra terapia de neutralización.

La leche, como han escuchado casi todos los padres, es un alérgeno sospechoso muy popular, y le siguen de cerca los cereales, en especial, los que contienen gluten, como trigo, centeno, avena y malta. Otros alimentos, como azúcar, chícharos, frijoles, frutas cítricas, carne de res, de puerco y de pollo, y papas también pueden ser problemas. Al eliminar todos estos alimentos, uno a la vez, puedes descubrir si mejoran los síntomas de tu hijo para el cuarto o quinto día, pero de no ser así, persevera hasta por tres semanas.

Para averiguar con exactitud qué alimento o alimentos han estado causando problemas, agrégalos uno a la vez para ver si vuelven los síntomas. Hay pruebas que pueden llevar a cabo personas entrenadas, pero son bastante controvertidas ante los ojos de los médicos ortodoxos. Entre ellas está la muy antigua y poco confiable prueba citotóxica, la prueba RAST, la prueba de pulso y la prueba de cinesiología.

INTOLERANCIAS DISIMULADAS: ¿QUÉ SON?

Una intolerancia o alergia puede disimularse por la ingestión continua de la sustancia alergénica. Si eres adicto a algo, cada vez que tomas otra dosis te sientes mejor ya que evitas los síntomas de abstinencia.

La adicción "disimula" la realidad de que la sustancia es tóxica para ti, en la misma forma, comer algo a lo que eres alérgico varias veces al día tiende a "disimular" los síntomas de la reacción alérgica. Esto no se aplica a todos los que son alérgicos, pero de ser así, el individuo no se dará cuenta a qué es alérgico.

Dieta oligo-antigénica

Una forma simple de determinar si tu hijo sufre una alergia a los alimentos es adoptar una estricta dieta de eliminación llamada dieta oligo-antigénica.

Pon al niño en un complemento básico de multivitaminas y minerales además de un poco de zinc y magnesio. Luego continúa con una dieta estricta que excluya los alimentos potencialmente alergénicos. La base de la dieta incluye alimentos como camote, col, zanahoria, cordero o pavo que anden libres, peras y agua purificada. Después de unas semanas deberías poder notar el cambio en la conducta del niño.

Una vez que establezcas que el niño está mejor, comienza a reintroducir alimentos… uno por día. Deja los productos con granos de trigo, levadura y azúcar hasta el último. Si cualquier alimento es responsable o incluso si es un factor que contribuye, lo sabrás por el cambio en la conducta del niño. Es una forma en que puedes establecer cuáles alimentos son seguros y cuáles no lo son.

Medidas preventivas

Una forma de reducir la posibilidad de que tu hijo tenga una alergia o intolerancia al alimento es practicar la medicina preventiva y tomar precauciones durante el embarazo.

Los siguientes pasos te ayudarán a establecer el mejor medio ambiente posible para tu hijo durante el embarazo y la infancia.

Durante el embarazo

Es muy importante comer una dieta bien balanceada. Varía tu dieta y evita comer grandes cantidades de cualquier alimento individual, en especial los que te desagradan o los que no están de acuerdo contigo.

Existe alguna evidencia de Suecia de que si eres sensible a la leche, entonces es posible que también moleste a tu bebé. El calcio es necesario durante el embarazo y si no puedes beber leche, se puede obtener en yogurt, algunas verduras y ciertos quesos duros.

Si descubres que deseas vehementemente cierto tipo de alimento, por lo general es una señal de que tu dieta es deficiente en una vitamina o mineral que se encuentra en ese alimento. Es necesario examinar detenidamente lo que comes y podría ser aconsejable considerar complementos de vitaminas y minerales.

También recuerda que las verduras perderán menos vitaminas y minerales cuando se les pasa por un extractor de jugos en lugar de cocinarlas en exceso.

Una dieta variada también ayuda a fortalecer las enzimas digestivas que pasarán a tu bebé en la leche de seno.

Después de que nace tu bebé

Es muy importante dar pecho al bebé. Trata de arreglar que te pongan al bebé en el seno en cuanto sea posible después del nacimiento para que pueda beneficiarse del calostro, la sustancia amarilla más bien espesa que sale de los pezones justo antes de que la leche empiece a fluir. El calostro tiene un papel muy importante en ayudar a fortalecer las bacterias protectoras del tracto digestivo del bebé y también le da cierta protección inmune.

No empieces a alimentar sólidos a tu bebé demasiado pronto. El cereal puede ser un peligro importante, ya que por lo general contiene trigo y la mayoría de los alimentos enlatados para bebé contienen harina como espesante. Sin embargo, se ha producido un movimiento saludable hacia reducir azúcar, sal y glutamato monosódico en la mayoría de los productos de alimento para bebé. Si sospechas que tu bebé podría tender a las alergias o sensibilidades a los alimentos, evita chocolate y huevo hasta que el bebé tenga nueve meses de edad o más.

Si pasar a leche de vaca o a fórmulas con leche de vaca causa diarrea o cualquier otro síntoma adverso, elimínalo de la dieta del bebé por completo hasta que desaparezcan los síntomas. Esto también se aplica a jocoque, yogurt, budín y quizá hasta queso. Si tu bebé tiene dificultades con la leche de vaca y no estás dándole pecho, los jugos de verduras, como el de zanahoria, o leches de nueces y semillas y la leche de cabra son buenas fuentes alternas de calcio.

Es muy importante dar a tu bebé una amplia variedad de alimentos naturales y evitar los alimentos procesados o enlatados.

Alterna y diversifica la dieta de tu bebé tanto como sea posible ya que es mucho más probable que surja una alergia o intolerancia a los alimentos si un alimento se toma todos los días.

Es verdad que los bebés desconfían al principio de los alimentos nuevos. Sin embargo, no puedes confundir un desagrado real y determinado y no importa lo saludable que sea un alimento, no insistas en él si causa molestia. Así es como empiezan las alergias ocultas o disimuladas.

9

Neurotoxinas: contaminación, sustancias químicas y tu cerebro

El diagnóstico de la enfermedad humana es, en muchos casos, un ejercicio en el descubrimiento de desequilibrios bioquímicos, psicológicos o fisiológicos en un individuo. Las personas sólo se dan cuenta de los efectos de estos trastornos cuando son visibles los efectos. Los síntomas son las señales de advertencia del cuerpo que nos dice que algo anda mal.

Nos enfermamos por muchas razones diferentes: tensión, trauma, células cancerosas, agentes infecciosos (virus, bacterias, hongos, etc.) o sólo porque no recibimos suficientes nutrientes que permitan a nuestro cuerpo evitar un ataque. Sin importar cuáles sean las causas, los síntomas pueden variar mucho de persona a persona y de enfermedad a enfermedad. Por supuesto, los síntomas que uno "siente" pueden tener su origen en diferentes partes del cuerpo.

Tendemos a pensar en las funciones del cuerpo desde el punto de vista de los órganos responsables de ellas. Por la orientación particular de la educación médica ortodoxa, los médicos a menudo piensan en las funciones de los órganos como si fueran entidades separadas. Hablamos sobre las funciones del corazón, funciones del riñón y funciones del pulmón, casi como si estos órganos existieran como unidades independientes y reservadas. Pero, de hecho, cada órgano es totalmente dependiente de todos los demás órganos. Por ejemplo, no tiene sentido hablar de enfermedad del corazón como si el corazón existiera aislado totalmente: el suministro de sangre del corazón depende de una circulación saludable y la sangre es inútil a menos que esté llena de los ingredientes necesarios para la vida: nutrientes de los alimentos que comemos, los gases que respiramos y los líquidos que bebemos. En cierta medida, nuestra circulación también depende de la actividad física, a la que puede afectar lo que sea, desde nuestra vida sexual hasta nuestras condiciones de trabajo.

Las funciones del cerebro están reguladas en gran parte por las hormonas que produce el cerebro de aminoácidos presentes en el alimento que ingerimos y el cerebro no puede obtenerlos a menos que los alimentos se digieran y absorban. Sin embargo, el cerebro es un órgano muy delicado y su complejo sistema hormonal puede perder el equilibrio; su sincronía puede estropearse, y sus sustancias químicas neurotransmisoras de regulación pueden encontrar antagonistas, desactivarse o inhibirse gracias a una gran cantidad de sustancias… naturales o no.

Existe una clase particular de sustancias químicas llamadas neurotoxinas que pueden dañar el sistema nervioso y pueden, en consecuencia, causar casi cualquier síntoma emocional o "conductual"… de alucinaciones a depresión, de insomnio a demencia y de pérdida de la memoria a psicosis.

Los cambios que producen las neurotoxinas son tan sutiles y traicioneros que muchas personas a las que afectan no tienen idea de qué causa sus síntomas. A menudo, sus médicos tampoco saben la causa real del problema y empiezan a buscar causa físicas para cada uno de los síntomas que podrían ser, de hecho, las primeras advertencias de neurotoxicidad.

Hormigueo y entumecimiento de los dedos de manos o pies, geros temblores o una sensación de "temblor", ligera falta de coordinación, impotencia y disminución de las sensaciones de tacto, on todas características de neurotoxicidad. Más adelante, tal vez ños después de la exposición inicial a una neurotoxina, puede haer algunos dolores generales, problemas de visión, una sensaión de disminución de olor y sabor, reducción de la atención, érdida de la memoria, aletargamiento, irritabilidad e incluso deresión, alucinaciones o psicosis… o una combinación de cualuiera de ellos.

CONTAMINACIÓN Y DIFICULTADES DE APRENDIZAJE EN NIÑOS

Los niños son susceptibles en particular a las toxinas de todos tipos. Como el aprendizaje es una parte tan esencial del crecimiento, los efectos de la contaminación en las funciones del cerebro pueden ser devastadoras en un niño.

Por lo general, las primeras señales son lo que por lo general llamaríamos conducta alterada, pero la conducta es un fenómeno tan individualizado que pocos padres (o incluso maestros) se dan cuenta del problema hasta que es demasiado tarde.

El Comité Selecto sobre Nutrición y Necesidades Humanas del 95 Congreso del Senado de los Estados Unidos declaró:

> Los primeros síntomas de envenenamiento por plomo son sutiles, subjetivos y no específicos y, en consecuencia, no tan fáciles de reconocer en niños. En los niños unos síntomas tan leves a menudo se pasan por alto o se atribuyen a otros estados de enfermedad, de manera que es más probable reconocer el envenenamiento debido a plomo como una etapa tardía o severa sobre la base de la participación del sistema nervioso.

En otras palabras, para el momento en que nos damos cuenta que nuestros hijos sufren de contaminantes sutiles podría ser demasiado tarde.

En algunos casos, unos cuantos de estos efectos son irreversi
bles por las dificultades de reparar o reemplazar las células perdi
das. Por lo tanto, las consecuencias en el cerebro humano son cas
invariablemente permanentes. Como la naturaleza de los sínto
mas que presenta es tan diversa, a menudo se atribuyen a una car
ga de trabajo excesiva, edad avanzada o incluso tensión. Vamo
a examinar algunas de las neurotoxinas en nuestro medio am
biente.

Etoxietanol

Es un solvente industrial muy empleado, relacionado con el alco
hol de lacas, tintes, removedores de barniz y muchos otros proce
sos industriales. Siempre se le ha considerado "seguro" y, de hecho
cuando se hicieron pruebas extensas al compuesto en animales de
laboratorio, se mostró que no producía efectos tóxicos. Incluso la:
ratas embarazadas no sufren cuando se les expone a dosis equiva
lentes a la mitad de los límites permisibles. ¡Pero sí sus crías! Prue
bas posteriores mostraron cambios significativos en la química de
cerebro y la conducta después del nacimiento.

Las implicaciones del siguiente experimento también son inte
resantes. B. K. Nelson, científico del Instituto Nacional para Segu
ridad y Salud Ocupacional en Estados Unidos, dio a un grupo de
ratas embarazadas la misma cantidad de etoxietanol que se había
mostrado era segura para ellas pero tóxica para sus crías. Al mismo
tiempo, mezcló un poco de alcohol en su agua para beber. Descu
brió que los efectos de esta combinación en la neuroquímica de
cerebro de sus crías era el doble de severa que la causada sólo po
el etoxietanol.

Existen implicaciones bastante aterradoras en este fenómeno
Es muy posible que muchísimas personas que están expuestas cor
poca frecuencia a pequeñas cantidades de etoxietanol no presen
ten síntomas (al menos, no observables) de tal exposición. Sin em
bargo, si las mismas personas consumen cantidades de alcohol cor
regularidad, además de estar expuestos al etoxietanol, aunque no

ienen daño directo, la toxicidad del etoxietanol es tal que sus hijos podrían sufrir graves consecuencias neurológicas.

Bisulfuro de carbono

Descubierto a finales del siglo XVIII, el bisulfito de carbono (CS_2) se empleó originalmente como anestésico general. J. Simpson, cirujano escocés, informó en 1840 que ya no lo estaba empleando porque causaba alucinaciones, dolores de cabeza y náusea en sus pacientes. En unos cuantos años, el CS_2 se empleaba extensamente como solvente en procesos industriales. Fue entonces que se descubrió que el CS_2 podía "suavizar" hule a cualquier temperatura, con lo que hacía posible la manufactura de muchos objetos, como impermeables, juguetes de hule y globos. Por supuesto, cualquiera que trabaje con esta sustancia está expuesto a gases mortales.

Ya para 1856, los escritos del médico francés, Auguste Delpeech, contenía una advertencia:

> El que trabaja en el "azufre" ya no es un hombre. Todavía puede ganarse la vida de día en día en trabajos que no requieran destreza. Nunca podrá establecer una posición independiente para él mismo. La deprimente influencia del bisulfito de carbono en su fuerza de voluntad, las dolorosas consecuencias de su indiferencia y la pérdida de la memoria, le impiden entrar a otra ocupación.

El médico también describió cómo algunos de los hijos de los trabajadores, que pasaban unos días jugando cerca de sus padres mientras trabajaban, eran "aquejados por un tipo de delirio furioso".

Alan Anderson, escribiendo en *Psichology Today*, nos dice que en 1902 una publicación británica, *Empleos peligrosos*, ¡describía una fábrica en que las ventanas tenían barras para impedir que los trabajadores dementes saltaran durante sus frecuentes ataques de locura!

Mientras tanto, la industria del hule se ha desarrollado causar do que miles de trabajadores que no lo sabían perdieran la salud la cordura.

En Finlandia, se han hecho pruebas a los trabajadores en fábri cas de rayón modernas, bien ventiladas y limpias y demostraro que han perdido algo de velocidad neuromuscular, inteligencia habilidad psicomotora.

Nitratos

Aunque los nitratos en sí no son particularmente tóxicos, cuand cambian a nitritos o nitrosaminas, pueden volverse muy peligro sos. Se sospecha que son carcinogénicos. Sin embargo, una capac dad menos conocida e igual de aterradora de los nitritos es la de causar metahemoglobina... una condición en que la sangre ya n transporta una cantidad adecuada de oxígeno. Un niño pequeñ afectado con esta enfermedad podría ponerse azul y sufrir daño ce rebral permanente como resultado. Conforme el niño crece, deterioro podría mostrarse en varias formas. Así los nitratos s vuelven neurotóxicos.

No se recomienda alimentar a los bebés con fórmulas que s preparen con agua de pozo, ya que podrían tener un alto conter do de nitratos. El agua de pozo puede contaminarse fácilmen con pesticidas y otras sustancias químicas que se emplean en agr cultura. A veces, los desechos animales pueden tener un alto cor tenido de nitratos y esto podría afectar los suministros de agu local. La metahemoglobinemia también puede ser causada por aire que esté contaminado con vanadio.

Combustibles volátiles

De acuerdo a algunos estudios, trabajadores expuestos a con bustibles de avión a reacción tienen calificaciones deficientes e pruebas conductuales que exigen un alto nivel de concentració Estadísticamente, se encontró que estos trabajadores tenían m enfermedades psiquiátricos, síntomas de depresión y conducta neurótica.

Se obtuvieron resultados similares en estudios de personas expuestas a solventes de pintura. Un estudio escandinavo que se presentó en *Psychology Today* (julio de 1982) reveló que cuando se estudió a cincuenta y dos pintores de casas tuvieron calificaciones menores que los controles en pruebas de capacidad intelectual, coordinación psicomotora, memoria y tiempo de reacción. Sin darse cuenta alguna del peligro, los trabajadores a veces se lavaban las manos en metil-n-butil cetona, una poderosa neurotoxina capaz de dañar gravemente el sistema nervioso central.

Cirujanos y otros miembros del personal de salas de operación a menudo están expuestos a gases anestésicos que pueden escapar de válvulas de alivio de presión empleadas durante las operaciones. El óxido nitroso y el halotano, dos gases anestésicos, cuando se inhalan en concentraciones tan bajas como cincuenta partes por millón y una parte por millón, respectivamente, pueden afectar la memoria a corto plazo, la percepción visual, la agudeza y las respuestas motoras cognitivas… ¡las destrezas mismas que se necesitan en una sala de operaciones!

Mercurio

Siempre se ha considerado al mercurio, o azogue, como mágico en cierto sentido por su propiedad única: es el único metal que es líquido a temperatura ambiente.

Sus propiedades tóxicas han sido muy conocidas desde la Edad Media y se le ha utilizado ampliamente como veneno. Se ha dicho que Napoleón, Iván el Terrible y Carlos II de Inglaterra murieron por envenenamiento con mercurio. Existen registros que muestran que en el año 1700 un ciudadano de Finale, un pequeño pueblo de Italia, buscaba un mandamiento judicial contra una fábrica que hacía cloruro de mercurio porque sus gases estaban matando a los habitantes.

Es difícil hacer un diagnóstico de envenenamiento por mercurio. Uno de los problemas es que el daño puede suceder antes de que se manifiesten los síntomas; sin embargo, no es visible hasta que ya ha ocurrido el daño neurológico. Por lo tanto, es desafortunado que la ingestión o exposición diaria aceptada es la que es suficiente para causar síntomas.

Un artículo en *Science* (1982, vol. 177, pág. 621) informó que como el tejido fetal era susceptible en particular al daño por sustancias químicas y metales pesados, se administraron grandes dosis de mercurio a ratonas preñadas para probar la toxicidad. Todas las camadas de la prueba nacieron al parecer saludables, se desarrollaron bien y no parecía haber diferencia entre los ratones a los que se inyectó mercurio y los que no se trataron.

De hecho, cuando se midió el tamaño respectivo del cerebro y el contenido de enzimas neurotransmisoras dos meses después del nacimiento, todo parecía totalmente normal. Sin embargo, cuando se sometió a estos animales a pruebas conductuales posteriores, los investigadores recibieron un duro golpe. Los ratones que habían recibido mercurio mostraban patrones de conducta aberrantes.

En lugar de explorar un nuevo territorio como los animales de control, se quedaban por ahí con apatía y no mostraban interés alguno en su entorno. Cuando algunos se movían, ¡a menudo caminaban hacia atrás! Los animales afectados también mostraban un deseo muy reducido de acicalarse. Los investigadores entones pusieron a los ratones en pruebas normales de natación. Los ratones sin tratar aprendieron a nadar mientras que los ratones expuestos a mercurio nadaban mal y periódicamente recaían en ataques de falta de coordinación neuromuscular.

Por extraño que parezca, el mercurio tal vez fue el primer compuesto metálico en ser empleado como remedio terapéutico y se cree que Hipócrates prescribió sulfuro de mercurio como medicamento. Durante el siglo XVI se empleó extensamente para tratar sífilis y alguien con sentido del humor hizo notar que "una noche con Venus podía conducir a una vida con mercurio".

METALES PESADOS Y SUS EFECTOS	
Arsénico	vértigo, dolores de cabeza, debilidad general, fatiga
Boro	inquietud, falta de coordinación, agresividad, nerviosismo y desorientación
Cadmio	fatiga, falta de sentido del gusto y disfunciones del olfato, aumento de riesgo de enfermedades cardiacas
Cobre	irritabilidad, mala concentración, hiperactividad
Manganeso	síntomas psiquiátricos (mineros franceses expuestos a manganeso mostraban síntomas que no se podían diferenciar de la esquizofrenia)
Mercurio	temblores, falta de coordinación, problemas de habla, problemas psiquiátricos
Níquel	dolores de cabeza, insomnio, delirio, irritabilidad
Selenio	mareos, lasitud, depresión, fatiga
Estaño	debilidad de extremidades, vértigo, fotofobia
Pesticidas en general	trastornos neurológicos, metabólicos y psiquiátricos
Cloro	erupciones de la piel, aletargamiento, reacciones alérgicas
Nitratos	tal vez sean carcinogénicos

Conocidos como bombas de tiempo tóxicas, los empastes dentales (que pueden hacerse de mercurio) pueden envenenar en forma lenta pero insidiosa a un individuo hasta el punto en que su sistema inmune trabaje bastante por debajo de lo normal. Los efectos pueden muy extensos y conducir a todos tipos de enfermedades.

Alimentos ricos en vitamina B$_6$ (piridoxina)

aguacate
arroz
cacahuates
cangrejo
carne (de res, jamón, puerco)
cebada
chícharos
ciruela pasa
espinacas
frijol
frijol de soya
frijoles
germen de trigo
harina integral
hígado (de puerco)

huevo
leche
leche de vaca
lentejas
melaza
naranjas
nuez de Brasil
papas
pescado (bacalao, lenguado,
    arenque, macarela, salmón,
    sardinas, atún)
queso
salvado de trigo
semillas de girasol
zanahoria

Alimentos ricos en vitamina C (ácido ascórbico)

aguacate
arroz
cacahuates
cangrejo
carne (de res, jamón, puerco)
cebada
chícharos
ciruela pasa
espinacas
frijol
frijol de soya
frijoles
germen de trigo
harina integral
hígado (de puerco)

huevo
leche
leche de vaca
lentejas
melaza
naranjas
nuez de Brasil
papas
pescado (bacalao, lenguado,
    arenque, macarela, salmón,
    sardinas, atún)
queso
salvado de trigo
semillas de girasol
zanahoria

Mercurio y dieta vegetariana

Las personas que más corren riesgo de envenenamiento por mercurio son los vegetarianos estrictos porque el mercurio se combina con las proteínas que contienen azufre.

Las principales fuentes de metionina, uno de los principales aminoácidos con azufre, son huevos, carnes, pescado, aves de corral y alimentos lácteos. Las dietas ricas en metionina y otros aminoácidos con azufre –que a menudo se forman a partir de metionina–, ofrecen alguna protección contra el envenenamiento por mercurio. Sin embargo, este tipo de dieta causa gran tensión a las reservas de vitamina B_6 (piridoxina) del cuerpo y siempre se debería tomar como complemento.

El mercurio también afecta la concentración de vitamina C del cuerpo, reduciendo su concentración en el cerebro. Uno de los usos terapéuticos de la vitamina C para tratar intoxicación por metales pesados es la capacidad de esta vitamina para formar complejos con metales que entonces se expulsan del cuerpo por el sistema urinario.

Selenio

El selenio se combina con mercurio, así que una dieta o ingestión de agua que contenga cantidades adecuadas de selenio proporciona algo de protección.

El selenio en sí puede ser muy venenoso, así que no se recomiendan los complementos de la dieta en grandes dosis, excepto bajo supervisión. Sin embargo, el selenio es un mineral muy importante y esencial. Se ha descubierto que las personas que beben agua con bajo contenido de selenio o que de otra manera tienen deficiencia de selenio tienden a las enfermedades cardiovasculares. Varios informes también han vinculado el cáncer con una dieta deficiente en selenio, pero la ingestión excesiva es igual de mala, pero en este caso es mucho peor que ingerir muy poco.

Sabemos que el selenio puede contaminar el agua en áreas en que se irriga suelo rico en selenio. Cuando los animales ingieren las

¿El selenio es un mineral esencial o un metal tóxico?

Un artículo editorial de David Rutolo que apareció en *Internacional Clinical Nutrition Review* en julio de 1983 preguntaba: "¿El selenio es un mineral esencial o un metal tóxico?"

El artículo informaba de un problema cardiaco conocido como "enfermedad de Keshan" que causó gran número de muertes en China durante la década de 1970. Los investigadores descubrieron que un factor contribuyente importante a esta rara enfermedad era la falta de selenio en la dieta y, después de un programa vigoroso de complementos correctivos, la enfermedad prácticamente desapareció.

Sin embargo, esto sólo es la mitad de la historia. También hubo otro incidente unos 20 años antes, cuando un grupo de habitantes de cinco pueblos chinos se vieron afectados por una enfermedad endémica de origen desconocido. Esta enfermedad causaba pérdida del cabello y de las uñas, y deterioro neuronal. Cuando los habitantes de estos pueblos se mudaron a otra área, desaparecieron los síntomas físicos. Los que tenían síntomas neurológicos necesitaron más tiempo para recuperarse.

Al principio, se sospechó de un hongo de cereales, sin embargo, más adelante se demostró que la toxicidad del selenio fue la causa de la enfermedad. Al parecer, el inicio de la toxicidad siguió a una sequía que causó que fallara una cosecha de arroz, lo que obligó a los habitantes del pueblo a comer más verduras y maíz que eran ricos en selenio, y menos alimentos con proteínas (*American Journal of Clinical Nutrition*).

La concentración de selenio en cabello, sangre y orina refleja la condición del selenio en la población. Los habitantes con toxicidad por selenio tenían concentraciones de selenio cien veces más alta que lo usual y cuatrocientas veces más que las personas de las áreas deficientes en selenio en donde ocurrió la enfermedad de Keshan.

plantas que crecen ahí, el metal daña el feto y, como con la talidomida, puede causar el nacimiento de crías deformadas. Los complementos de azufre no necesariamente son una protección contra una catástrofe inducida por mercurio ya que un antídoto efectivo debe proporcionar al cuerpo una proteína que contenga azufre, no azufre inorgánico.

Pesticidas

Los pesticidas abarcan gran cantidad de agentes diferentes, como insecticidas, fungicidas, fumigantes y productos para roedores.

El primer pesticida en tener uso común no fue la invención de algún químico perverso sino de uno de los chinos antiguos. Llamado pirétrum, lo llevó Marco Polo a Europa de China en el siglo XIII. Aunque es un compuesto natural, el pirétrum es un poderoso alérgeno y gran cantidad de personas no lo pueden tolerar. Los asmáticos y quienes tienen sinusitis parecen ser a quienes afecta con más facilidad, aunque he visto muchos niños hiperactivos que parecen ser hipersensibles a él.

Tal vez el pesticida más famoso, o infame, de todos sea el DDT: un hidrocarburo clorado que es tóxico para el sistema nervioso y no se descompone con facilidad. Se puede almacenar en los tejidos vivos por largo tiempo y en muchas partes del mundo, investigadores han descubierto que las madres que amamantan a veces pasan sin darse cuenta enormes cantidades de pesticidas a sus bebés.

De acuerdo a un informe del Fondo Mundial de Vida Silvestre, se ha descubierto que la leche de pecho de mujeres en el Reino Unido contiene hasta cuarenta veces más pesticidas que la concentración máxima permitida para leche de vaca por parte de la Organización Mundial de Salud.

El DDT interfiere con la absorción de calcio y puede tener como resultado cráneos delgados, huesos débiles, espasmos musculares y retardo mental. El DDT ya no se emplea en países desarrollados, pero todavía se emplea en diversas partes del mundo subdesarrollado. Sin embargo, los pesticidas que han reemplazado al DDT resultaron ser incluso más peligrosos. Los organofosfatos son un tipo de insecticida o pesticida específicamente tóxico para los nervios ya que afectan la acetilcolina, que es el principal agente para la transmisión nerviosa a los músculos. Un estudio establecido por la Organización Mundial de Salud ha mostrado que una dieta deficiente en acetilcolina aumenta la susceptibilidad de una persona a los peligros de los pesticidas. Un pesticida en particular, el Captán, es casi inofensivo para una persona bien nutrida, pero se vuelve mortal para alguien con una dieta deficiente en proteínas.

También es importante el tipo de proteína en la dieta. Los animales criados con proteínas de soya tienden a ser deficientes en metionina y tienen una proporción elevada de cobre a zinc. Estos animales no están bien protegidos contra el envenenamiento por mercurio ya que la mayoría de las actividades antiquímicas del cuerpo necesitan proteínas que contengan azufre. Si los frijoles de soya se han rociado con cualquier pesticida, como sucede a menudo, la situación puede ser muy peligrosa.

La soya también es marginalmente deficiente en cromo, otro factor que podría contribuir a mala salud si tu dieta se basa mucho en este alimento. Una deficiencia de cromo afecta la capacidad del cuerpo para hacer insulina y esto puede desestabilizar los mecanismos reguladores del cuerpo del azúcar en la sangre. Ratas criadas con soya tienden a crecer mal y perder sus reservas de vitamina A cuando se exponen a pesticidas.

Concentraciones de pesticidas en nuestros cuerpos

Ahora parece seguro que todo bebé recién nacido en Australia llega al mundo con concentraciones fáciles de discernir de pesticidas en el cuerpo, de acuerdo a un análisis científico de la directora de Salud Maternal y de los Niños en Queensland, la doctora Jean McFarlane. En un examen de 1978 de 170 madres en Brisbane y los alrededores, se descubrió que 100%, es decir todas ellas, tenían pesticidas en su leche. Cuando la doctora McFarlane hizo pruebas a los niños, de nuevo el resultado fue 100%. Es suficiente para apoyar el punto de vista de que todos los australianos tienen pesticidas en el cuerpo; la comunidad completa, incluso los bebés.

H. Lunn, *The Australian*, 18 de enero de 1980

Algunos países, en particular Estados Unidos y Suecia, han actuado para prohibir y desaparecer por fases estos pesticidas peligrosos. Se han elaborado alternativas pero existen dudas de la efectividad de algunas, y otras han demostrado ser tan tóxicas como sus predecesores.

El factor de la fibra

Aunque por lo general se recomienda el consumo de alimentos ricos en fibra y lo normal es que sean benéficos para la salud, se debe recordar que el exceso de fibra puede causar que algunas proteínas se absorban de forma deficiente. Si esto sucede mientras una persona está en una dieta baja en proteínas, la exposición a pesticidas puede ser fatal. Es un factor importante que se debería tener en mente cuando un vegetariano compra una granja para su propio uso.

Otro punto que vale la pena recordar, en especial por parte de los naturópatas que practican la terapia de ayuno extenso, es que la mayoría de los pesticidas, en especial los hidrocarburos con cloro, se acumulan en las grasas del cuerpo. Durante un ayuno prolongado, estas reservas de grasa se descomponen para dar energía, y los pesticidas, en especial el DDT, pueden infiltrarse a la sangre, produciendo concentraciones lo bastante altas para volverse peligrosas.

Manganeso

Éste es otro metal potencialmente tóxico. Se añade al combustible de aviones a reacción para hacer que el humo que sale sea menos negro… al reducir el tamaño de las partículas que flotan en el aire de manera que tiendan a dispersarse sin ser tan visibles. Sin embargo, las partículas pueden penetrar al tejido del pulmón y causar graves daños respiratorios y neurológicos.

El manganeso también se emplea en el petróleo ordinario como reemplazo del plomo, pero es dudoso si confiere alguna ventaja para la salud. Por ejemplo, se dice que las personas empleadas en la fabricación de baterías de célula seca corren riesgo de padecer parálisis como resultado de la exposición al manganeso.

Un folleto distribuido por un importante centro de análisis del cabello en Estados Unidos describió los síntomas de toxicidad de manganeso como muy similares, o incluso indistinguibles, de los de la esquizofrenia, pero añade que la "deficiencia sintomática de manganeso no se ha demostrado en humanos".

Es paradójico que el uso del manganeso sea invaluable para contrarrestar los efectos de la fenotiazinas, un grupo de drogas psiquiátricas que producen un síndrome llamado discinesia tardía. Cuando se usa junto con otras vitaminas, en especial con niacina, se dice que el manganeso trata esta enfermedad con mucho éxito.

Tomando todo en cuenta, el manganeso parece ser una sustancia potencialmente tóxica que sin embargo puede ser usada con efectividad en el tratamiento de varias enfermedades. Se ha empleado extensamente en la psiquiatría ortomolecular pero, como he señalado, su uso extenso como complemento en altas dosis es potencialmente peligroso.

Tricloroetano

Esta sustancia química con un nombre que asusta puede parecer remota, pero es, de hecho, un disolvente común empleado en productos como Liquid Paper. Es uno de los hidrocarburos con cloro más leves que actúa como disolvente al mantener las partículas ligeras y fáciles de extender.

Los hidrocarburos y los fluorocarbonos pueden, si se inhalan en cantidades bastante altas, causar síntomas similares a los que siguen a la intoxicación con alcohol. También causan dolores de cabeza, zumbido en los oídos y alucinaciones… no diferentes a las causadas por el LSD. Si se inhalan suficientes hidrocarburos, el triste resultado puede ser convulsiones y al final un estado de coma.

Muchas personas están expuestas sin saberlo a los gases de hidrocarburos y fluorocarbonos. Los individuos sensibles, en especial los niños, pueden sufrir de temblor muscular y reflejos hiperactivos como resultado. Quienes son hipersensibles o alérgicos a estos compuestos también pueden sufrir trastornos conductuales extremos por la exposición.

El líquido de los encendedores, los líquidos de corrección, atomizadores de insecticidas, removedores de pintura e incluso medicinas para tos y píldoras para mareo contienen hidrocarburos y fluorocarbonos. Los jóvenes que buscan "elevarse" pueden, y a menudo lo hacen, abusar de ellos.

Toxinas y el medio ambiente

Las definiciones tradicionales de la toxicología en su mayor parte abarcan el daño a los diversos tejidos corporales y la probabilidad de muerte. Sin embargo, en las últimas décadas hemos visto que la atención cambia a los temas ambientales y a la preocupación de las consecuencias de la exposición a largo plazo de bajas concentraciones de sustancias químicas. Muchos investigadores científicos, me incluyo, sienten que uno de los criterios principales al investigar la toxicidad es el de las "funciones".

Como la función define la vida, y como muchas sustancias tóxicas trastornan las funciones, los efectos de la exposición se deberían estudiar examinando los cambios en diversas funciones que causa la exposición. La toxicología conductual es, de hecho, una medida de sutiles trastornos funcionales.

En este marco de referencia, se puede considerar al envenenamiento por plomo como un riesgo mayor para la salud conductual y mental. Un informe sobre el plomo del Consejo Estadunidense de Investigación Nacional, describe los efectos médicos y biológicos de los contaminantes del medio ambiente (Comité Selecto sobre Nutrición y Necesidades Humanas, junio de 1977) en la siguiente declaración:

Una guía rápida contra la contaminación

Se pueden eliminar, evitar o al menos contrarrestar muchos de los efectos de la contaminación mediante enfoques sensibles y una nutrición apropiada. A continuación están algunas alternativas a los contaminantes empleados en casa y algunas formas de reducir el efecto que los contaminantes tienen en nuestro cuerpo.

• Todos (y en especial las mujeres embarazadas y que dan pecho) deberían tratar de evitar el uso de pesticidas en la casa. Las pestes se pueden eliminar, o al menos minimizar, mediante el uso sensato de hierbas. Por ejemplo, el maro actúa como repelente de insectos de amplio espectro. Las hojas machacadas de poleo ayudarán a alejar los mosquitos y el tanaceto repele las moscas.

• El complemento de vitamina C ayuda a neutralizar los efectos de nitratos en alimentos al bloquear la formación de nitrosaminas que son potencialmente peligrosas y carcinogénicas. La liberación lenta de la vitamina C provee cierta medida de protección de una comida a otra y para los bocadillos que se tomen durante el día.

• El ozono y el bióxido de nitrógeno, contaminantes comunes en ciudades occidentales, aumenta la degeneración de los componentes lípidos de las células de los pulmones y la formación posterior de radicales libres (son partículas tóxicas que se forman durante ciertas reacciones químicas en el cuerpo y se piensa que son responsables de envejecimiento, cáncer y enfermedades degenerativas).

• La vitamina C y el zinc inhiben la absorción de plomo y ayudan al cuerpo a eliminarlo. La vitamina C también fomenta todas las respuestas celulares a las hormonas.

• Una carencia de calcio o vitamina D_3 predispone a los individuos (en especial a los niños) a la constricción bronquial que causa dificultades de respiración como el asma.

• Entre más natural sea tu dieta, menos tensión causarás al cuerpo y todas las funciones corporales se beneficiarán.

Los primeros síntomas de envenenamiento por plomo son sutiles, subjetivos y no específicos, y en consecuencia no son fáciles de reconocer en niños... En niños con este tipo de síntomas leves, a menudo se pasa por alto o se atribuye a otros estados de enfermedad, de manera que es muy probable que el envenenamiento por polo se reconozca por primera vez en una etapa tardía o severa basándose en la participación del sistema nervioso (encefalopatía aguda).

Otro ejemplo es el del brethismo, que es un síndrome de intoxicación por mercurio que se caracteriza por un conjunto de síntomas que imitan la conducta de un neurótico atormentado:

"Tenía la boca adolorida, periodos de mareo y estaba tan débil y cansada en la noche que me resultaba difícil cenar y hacer mi trabajo. Estaba tan rezongona y nerviosa que lloraba por nada... A menudo me despertaba de repente y tenía una sensación de agitación como si estuviera asustada y flotando en el espacio. Estaba temblorosa, nerviosa y tenía los ojos inyectados en sangre. Olvido todo con facilidad."

Esta declaración no es de una "neurótica" sino de una mujer que estuvo expuesta constantemente a mercurio en una fábrica de componentes para motores eléctricos. Tales síntomas nos recuerdan que la conducta humana refleja la condición del organismo humano completo, no sólo hígado, corazón, cerebro o un sistema de enzimas. Como deja en claro el estudio de las neurotoxinas, es el organismo completo el que se queja de dolores, se confunde o se siente irritable y deprimido. Con suerte, se dirigirá más investigación médica al estudio del sinergismo (la acción combinada) y a las causas menos obvias de la enfermedad.

10

Toxicología conductual: contaminantes y nuestro medio ambiente

Es posible que no todos acepten la teoría de la evolución, pero parece evidente que el cuerpo humano ha evolucionado por millones de años y, durante ese tiempo, se ha adaptado al medio ambiente. Al principio, aunque la vida pudo ser extraordinariamente violenta, el medio ambiente era, sin embargo, totalmente limpio: aire limpio, dieta natural, gran cantidad de actividad física y total ausencia de sustancias fabricadas sintéticas, caracterizaban a nuestro ecosistema. Los cambios que habían ocurrido durante periodos muy prolongados habían permitido un proceso de adaptación penosamente lento, pero esencial.

Cambios en el medio ambiente

En las últimas décadas empezamos a "modificar" nuestro medio ambiente a una velocidad aterradora y siempre acelerada. El doctor Bernard Rimland, autoridad mundial de toxicología conductual, presentó los siguientes comentarios en un discurso sobre la contaminación:

> Empleo la palabra "modificar" aunque en el primer escrito utilicé la palabra "violar", después consideré alternativas como "degradar" o "envenenar" antes de decidirme por el término ostensiblemente neutro "modificar". Espero que mi mensaje se comprenda.

La industria moderna en la actualidad emplea más de 100,000 sustancias químicas de las que el gobierno de Estados Unidos ya ha declarado peligrosas 650 en su Inventario de Liberación de Tóxicos. Muchos otros países, incluyéndole Reino Unido, Canadá, Australia y Japón, también han producido Inventarios de Liberación Tóxica o Contaminante y Naciones Unidas ha concordado en una lista inicial de Contaminantes Orgánicos Persistentes que se deben prohibir.

Aunque es cierto que muchas de estas sustancias químicas necesitan estar presentes en cantidades más bien altas antes de que afecten nuestra salud, también existen algunas que pueden causar problemas graves en niveles mucho más bajos de exposición.

La mayoría de las sustancias químicas, o todas, pueden interactuar entre ellas de manera que su efecto se vuelve mayor a la suma de sus partes. A esto se le llama "efecto sinérgico". En términos prácticos, sólo significa que cuando se combinan, pueden dañar nuestra salud incluso a concentraciones que se consideran totalmente inofensivas para cualquiera de las sustancias químicas solas.

Un individuo puede ser capaz de hacer frente a dos noches de desvelarse cada semana sin que afecte la producción de su trabajo. El mismo individuo podría tener gripe una o dos veces al año, de nuevo sin sufrir ningún efecto negativo importante. Pero, ¿qué sucede si tiene gripa y dos noches consecutivas de desvelarse? ¡Podría ser demasiado!

Diferentes tipos de contaminación

La ciencia que aborda los efectos de las sustancias químicas tóxicas en la conducta humana se llama toxicología conductual y es parte integral de la medicina ortomolecular y la psiquiatría.

Entre los miles de casos que vemos y tratamos en el Centro de Medicina Complementaria y Medioambiental, una considerable proporción de los llamados problemas "psiquiátricos" o "conductuales", en especial en los niños, están directa o indirectamente relacionados con algunas formas de "contaminación". Le doy a esta palabra el mismo significado que el doctor Rimland:

> El aire y agua contaminados son demasiado bien conocidos. Las formas menos conocidas, que por lo general ni siquiera se consideran manifestaciones de la contaminación, están convirtiéndose en una medida cada vez mayor en las causas importantes de impedimento mental y físico en la población humana, en especial cuando el impacto tiene lugar durante las etapas prenatal o de desarrollo inicial.
>
> La contaminación nutricional incluye los pecados de omisión y comisión. Incluye la omisión de la dieta de vitaminas y minerales de importancia crucial, en especial vitamina C, las vitaminas B, además de vitamina E y minerales como magnesio, hierro y zinc. Los efectos son trágicos. Los alimentos que proporcionan estos nutrientes, que se necesitan para una salud y desarrollo apropiados, han sido reemplazados por alimentos chatarra, cantidades exageradas y dañinas de azúcar y otros aditivos que están diseñados para ser atractivos a la vista y las glándulas gustativas, sin importar cuál sea el costo para el resto del cuerpo.

Esta última afirmación me recuerda una caricatura que vi una vez en una revista y que mostraba a un hombre parado frente a un supermercado gritando: "¡Vengan a comprar… hermosos alimentos… frescos de la fábrica!"

El doctor Rimland también nos dice que debemos incluir en una lista de componentes de la contaminación los factores que se podrían llamar "involuntarios". Entre estas formas de contaminación están el exceso de cobre de las tuberías de agua, plomo de las escapes de autos, tuberías, pinturas, tubos de pasta dental y alimentos enlatados, además de pesticidas y plásticos.

Luego está el caso de la contaminación médica. De acuerdo al doctor Rimland, las drogas de receta médica y las que se venden sin ella, matan más personas que el cáncer de pecho, mientras que alrededor de cincuenta millones de días de paciente-hospital al año se pueden atribuir a "efectos secundarios" de drogas en Estados Unidos. ¡Y eso fue en 1975!

Los organismos vivos tienen una capacidad considerable de adaptación y el organismo humano en verdad se ha adaptado en muchas formas. Por ejemplo, mientras masticamos menos alimento crudo, nuestras mandíbulas y dientes han pasado por cambios considerables, pero nuestra capacidad de adaptación dista mucho de ser infinita y requiere largos periodos.

Todos heredamos algunas limitaciones respecto a qué alimentos podemos comer. Por ejemplo, algunos de nosotros carecemos de las enzimas apropiadas para digerir la leche, otros tienen limitaciones por diversas razones, que van de restricciones autoimpuestas debidas a creencias religiosas o a enfermedades degenerativas como la diabetes.

Muy aparte de estas limitaciones específicas, vivimos en un mundo que tiene suficientes venenos naturales sin tener que enfrentar las considerables cantidades de "venenos químicos" que hemos introducido, con lo que se hace la vida más peligrosa de lo que naturalmente debería ser.

Venenos del medio ambiente y toxicología

Tradicionalmente, la toxicología aborda los efectos inmediatos (incluyendo la muerte) que se pueden atribuir, en forma directa o indirecta, a la ingestión o contacto con un veneno. Sin embargo, como enfoque científico, la toxicología no carece de fallas.

Para empezar, la mayoría de las sustancias se prueba en forma individual. Se nota el efecto de cada sustancia separada pero no se toma en consideración el hecho de que el efecto combinado de dos, tres o más sustancias químicas podría ser muy diferente al de una sola. Y, cuando lo piensas, es puro sentido común. Mezcla dos alimentos o bebidas y tendrás un sabor que es muy diferente al de cualquiera de sus componentes.

Se someten a pruebas los aditivos de los alimentos para ver si producen cambios patológicos en animales. Se pueden examinar defectos en la sangre, velocidad de desarrollo y ciertos parámetros fisiológicos cruciales, como las funciones del hígado. De tales estudios, los toxicólogos calculan cantidades de una sola sustancia que se pueden ingerir sin causar alguna anormalidad perceptible. Entonces la cifra resultante se divide por diez para tomar en cuenta las diferencias entre varias especies y de nuevo por diez para seguridad humana.

Entonces esto se convierte en la ingestión diaria permisible para humanos. Sin embargo, nunca se miden los efectos, si existen, en la conducta de estos animales. Al doctor David Ball, director del Instituto Nacional para Ciencias de Salud Ambiental, en Australia, le gusta señalar que si el efecto de la talidomida hubiera sido reducir la capacidad de la habilidad académica, por ejemplo en 10 por ciento, nunca se hubiera descubierto.

También se tiene una falla muy importante en la forma en que ponemos a prueba la toxicidad de la mayoría de los contaminantes potenciales. Los humanos consumen y están expuestos a grandes cantidades de sustancias químicas (colorantes, conservadores y demás). La población expuesta abarca a los más jóvenes, más viejos, ricos y enfermos. También abarca a los de constitución fuerte además de las personas con incapacidades o predisposiciones (genéticas o de otro tipo) que podrían volverlas más susceptibles que otras.

Algunas podrían tener cierto nivel de exposición que es mucho mayor al promedio. Es mucho más probable que los niños de escuela ingieran grandes cantidades de agentes colorantes de paletas de dulce, helados, bebidas no alcohólicas y alimentos similares, que los adultos. Como son más bajos, y en consecuencia están más cerca del piso, están expuestos a mayores cantidades de contaminación por plomo de los escapes de los autos que los adultos. Su tasa metabólica, y el hecho de que suelen estar en constante movimiento físico, también causan que el plomo sea muy peligroso para ellos. Al menos hasta cierta edad, es más probable que se pongan objetos sucios y con polvo, incluyendo sus dedos, en la boca.

Sin embargo, cuando un toxicólogo estaba poniendo a prueba una sustancia, el procedimiento usual es escoger un grupo de animales sanos, con edades muy similares, a los que entonces se alimenta una dieta similar y nutritiva. Entonces se les desafía con un *solo* agente.

Es de esperarse que los resultados sean totalmente distintos cuando se expone a una sección promedio de la población, incluyendo personas jóvenes y viejas, con diferentes dietas, están expuestas a docenas, o incluso cientos de sustancias, *al mismo tiempo*.

El caso de la tartrazina

Cuando se expuso a un grupo de ratas a aditivos de tartrazina (amarillo), a los que se alimentaba con una dieta que estaba perfectamente balanceada respecto a proteínas, carbohidratos, vitaminas y minerales, pero "purificada", las afectaba mucho. De hecho, el aditivo amarillo era tóxico para ellas.

Cuando el *mismo* aditivo se daba a un grupo de ratas alimentadas con una dieta natural, como lo que por lo general obtendrían en su medio ambiente, los animales no mostraban efectos negativos, aunque esa dieta tal vez no estuviera tan perfectamente balanceada como la dieta purificada con complementos. Al parecer, ¡la causa de la diferencia era el hecho de que la primera dieta no proporcionaba fibras!

Alcohol

"La cerveza hace que te sientas de la manera en que te deberías sentir sin la cerveza". Así dijo el gran escritor australiano, Henry Lawson. Esta declaración se aplica a cualquier tipo de alcohol, no sólo la cerveza, ya que, después de todo, el alcohol es una droga que altera el estado de ánimo.

Con moderación, el alcohol hace que la mayoría de las personas se sienta feliz, puede ser muy divertido y también puede ayudar a la digestión, ayudar a prevenir enfermedades cardiacas y tal vez incluso te ayude a vivir un poco más... es decir, si bebes con moderación.

Hay poca duda de que nos estamos volviendo más y más conscientes de la salud y que la gente está empezando a darse cuenta que lo que te pones en la boca tiene una enorme importancia en tu salud. Sin embargo, cuando se trata de aplicar esta comprensión al alcohol, no llegamos tan lejos. El consumo de alcohol en el Reino Unido sigue creciendo todo el tiempo y se reconoce que los adolescentes británicos son los mayores bebedores de Europa. El aumento en beber sin fondo es tal vez el aspecto más alarmante.

El metabolismo del alcohol

El alcohol ha estado con nosotros desde tiempos inmemoriales. En el hígado humano existe una enzima especial con la tarea exclusiva de descomponer el alcohol. La enzima especial se llama alcohol deshidrogenada y tal vez evolucionó para permitir al hombre primitivo digerir frutas fermentadas que caían al suelo en los bosques prehistóricos.

EL ALCOHOL Y LA ECONOMÍA

En el año financiero de 1999-2000, el gobierno del Reino Unido cobró 6426 millones de libras en el servicio de aduanas y 5073.8 millones de libras en IVA por la venta de cerveza, vino y licores. El total de 11,499.8 millones de libras representó el 4.4 por ciento de los impuestos totales recaudados ese año.

Se calcula que la industria del alcohol gastó alrededor de 270 millones de libras al año en publicidad para promover la venta de cerveza, vino y licores.

El alcohol es un negocio muy grande. Tiene impacto político. Emplea a miles de personas y mata a miles todos los años, en forma indirecta por los accidentes automovilísticos y en forma insidiosa como resultado de enfermedades crónicas.

Los efectos del alcohol se producen por una sustancia que altera el estado de ánimo y tóxica llamada alcohol etílico. Es una sustancia transparente y volátil que se forma gracias a la acción de levaduras en jugos de frutas y una cerveza común contiene alrededor de una cucharada de alcohol etílico.

El alcohol etílico se disuelve en agua y grasa y llega prácticamente a todos los órganos del cuerpo (incluso la columna vertebral, las células del cerebro y los huesos) unos cuantos minutos después de que se ingiere. Los resultados de beber dependen no tanto de la cantidad de alcohol bebido como de la cantidad de alcohol etílico que llega a la corriente sanguínea y de lo rápido que llega ahí. Entre más rápido llega a la corriente sanguínea, más potentes serán sus efectos.

Más o menos 5 por ciento de lo que bebes se absorbe directamente del estómago a la corriente sanguínea y el resto pasa por una "válvula" viva llamada esfínter pilórico antes de terminar en el intestino delgado, donde se absorbe a la corriente sanguínea.

El píloro es un anillo muscular que se contrae cuando la composición química de los alimentos en el estómago es inapropiada, o cuando es demasiado alimento. Si se puede mantener el píloro cerrado o sólo ligeramente abierto, esto reducirá el movimiento del alcohol. En consecuencia, el alcohol que se toma con el estómago vacío pasa con rapidez y sus efectos son muy poderosos... como sabe muy bien todo bebedor.

El alimento retrasa considerablemente la absorción del alcohol sin importar si se le ingiere antes o con la bebida. Los alimentos grasos y aceitosos son valiosos en especial para reducir el movimiento del alcohol por el esfínter pilórico.

Los vinos espumosos, la champaña o los licores con refresco contienen bióxido de carbono y las burbujas "pican" al píloro, causando que se abra. Es una de las razones de que uno se emborrache mucho con una bebida relativamente débil, como el vino blanco espumoso.

Después de que el alcohol llega a la sangre, va al hígado, luego a corazón y pulmones. Luego recorre rápidamente todo el cuerpo, llegando a la larga al cerebro, donde estimula la producción de endorfinas, que actúan como anestésicos.

La única forma de recuperar la sobriedad es sacar el alcohol de la sangre, y sólo se puede hacer mediante orina, aliento, sudor y la acción del riñón. Aunque podría parecer más, sólo alrededor del 3 por ciento del alcohol sale por la orina y alrededor de 5 por ciento por el sudor y la respiración. El resto debe descomponerse (oxidarse) en el hígado. Se requiere alrededor de una hora para que el hígado elimine el alcohol que contiene una bebida estándar. El hígado tiene que estar en buena condición para hacerlo y no debería estar ya sobrecargado manejando otras toxinas.

Cómo maneja el hígado al alcohol

El hígado es el único órgano que no recibe su energía del azúcar de la sangre; en lugar de eso, emplea proteínas. Para que el hígado funcione en forma apropiada, necesita un equilibrio adecuado de proteínas, vitaminas y minerales.

A menudo los alcohólicos tienen una dieta poco balanceada que es rica en calorías pero deficiente en nutrientes y proteínas, lo que significa que el hígado tiene que trabajar tiempo extra para acabar con grandes cantidades de alcohol sin tener las proteínas y nutrientes para un funcionamiento óptimo.

Como el alcohol es rico en calorías, quienes beben mucho debe satisfacer todas o la mayor parte de sus necesidades de energía sin comer. Por ésta y otras razones, siempre se ha pensado que los muchos problemas de salud que se asocian al alcoholismo eran causados, de hecho, por desnutrición.

El consumo crónico de alcohol puede causar irritación e inflamación del recubrimiento del estómago, intestino y páncreas, lo que daña gravemente la absorción de nutrientes. También puede dañar la habilidad del hígado para manejar acetaldehído, que es el principal producto del alcohol y una sustancia muy tóxica que puede causar daño al hígado.

El acetaldehído interfiere con la activación de las vitaminas en las células del hígado y la enzima responsable de descomponer el alcohol en el hígado, la alcohol deshidrogenasa, parece depender de la vitamina C. A esto se le ha descrito como la trampa metabólica que sufren muchos alcohólicos. Muchos científicos creen que es el acetaldehído el responsable de los efectos del alcohol en el corazón, el cerebro y de la dependencia causada por beber por principios de cuenta.

Las células del hígado se deshacen del hidrógeno excesivo que se forma por el alcohol, pasándolo a la formación de alfaglicerofosfatos y ácidos grasos. Son los precursores de los triglicéridos, a los que se ha vinculado con claridad con el daño al hígado y trastornos circulatorios y del corazón.

Alcoholismo

El alcohol se descompone en acetaldehído. El acetaldehído puede unirse a varios neurotransmisores del cerebro y formar complejos que actúan como "pseudotransmisores".

Una de las reacciones de estos pseudotransmisores es formar endorfinas, los opiatos naturales propios del cerebro, lo que explica la habilidad del alcohol para reducir el dolor y producir sensaciones agradables.

Por desgracia, también señala una de las razones de que el alcohol sea tan adictivo: si el acetaldehído aumenta la producción de opiatos en el cerebro, es fácil ver por qué uno puede volverse adicto a sus efectos. Es muy semejante a la forma en que quienes trotan se vuelven adictos a las endorfinas y los que apuestan a la adrenalina.

En la actualidad se ha establecido que una enfermedad, conocida como hiperlipemia, es uno de los factores de predisposición más importantes en las enfermedades cardiovasculares y que es totalmente corregible con sólo evitar el alcohol.

El alcohol también compite con otras drogas para su desintoxicación de manera que disminuye su metabolismo y aumentan todos sus efectos peligrosos. Es por eso que el alcohol puede matar cuando se mezcla con algunos medicamentos, en especial los tranquilizantes.

¿Sólo son los alcohólicos los que tienen daño en el hígado por el alcohol?

Charles Liebre llevó a cabo un interesante experimento que presentó en *Scientific American* (1976, Vol. 234, No. 3, pág. 25). A un grupo de voluntarios se le dio a comer una dieta apropiada, baja en grasas, en que las proteínas representaban 25 por ciento de las calorías. También se le dio abundantes complementos de vitaminas y minerales. Se les pidió que bebieran seis bebidas estándar por día durante dieciocho días.

Biopsias de rutina de aguja delgada revelaron un aumento progresivo en la grasa del hígado después de sólo unos cuantos días y para el final de los dieciocho días, ¡el aumento era del orden de ocho veces más! También hubo cambios sorprendentes en las mitocondrias (agrandamiento y distorsión) mientras que proliferaron los sitios de las enzimas que se asocian con el metabolismo del alcohol (membranas lisas del retículo endoplásmico).

Es por ésta y otras razones que algunas personas que beben mucho muestran un aumento temporal en su capacidad para metabolizar el alcohol de manera que por un tiempo, tal vez muchos años, pueden beber hasta que los demás "acaban bajo la mesa".

Estos cambios ocurrieron después de una ingestión moderada de alcohol en un grupo de personas sanas y bien alimentadas que en ninguna etapa mostraron síntoma alguno de intoxicación. ¡No es necesario emborracharse para sufrir daño en el hígado!

Los efectos del alcohol

Los efectos del alcohol son fisiológicos y psicológicos. A continuación están algunos de los efectos fisiológicos más importantes.

Efectos fisiológicos

- El alcohol agranda los vasos sanguíneos de manera que tiendes a sentir más calor. Sin embargo, sólo es una ilusión ya que el alcohol en realidad aumenta la pérdida de calor y, en consecuencia, reduce tu resistencia al clima frío. Los vasos sanguíneos dilatados a menudo se pueden ver en la nariz y las mejillas de quienes beben mucho.

- El alcohol afecta la presión sanguínea. Si tienes presión sanguínea alta y tomas más de cinco bebidas por día (dos bebidas por día para mujeres), estás perdiendo el tiempo en conseguir tratamiento para presión sanguínea alta ya que el alcohol de todos modos eleva la presión sanguínea.

- El exceso de alcohol puede ser la causa de cardiomiopatía, un debilitamiento irreversible del músculo cardiaco. Sin embargo, se ha mostrado que beber con moderación puede dilatar las arterias coronarias y, en consecuencia, aliviar la presión sanguínea alta, con lo que se reduce el riesgo de trombosis coronaria. Este efecto paradójico puede explicar por qué las estadísticas muestran que los bebedores moderados mueren de ataque cardiaco con menor frecuencia que quienes no beben en absoluto.

- El alcohol puede causar gastritis, la inflamación crónica y engrosamiento del recubrimiento del estómago. También puede afectar el recubrimiento del intestino y el páncreas.

- El alcohol causa diversos problemas en el hígado. Ve la sección sobre "Cómo maneja el hígado al alcohol".

- Se ha asociado al alcohol con un mayor riesgo de cáncer en los sistemas respiratorio superior y digestivo. Quienes beben mucho a menudo fuman mucho, lo que empeora el riesgo de cáncer.

- El alcohol lleva a anormalidades bioquímicas que tienen muchos efectos en la fisiología. Entre ellos están:

1. Aumento en el lactado que puede causar periodos de ansiedad severa en individuos susceptibles.

2. Disminución en los cetoesteroides, que pueden afectar las hormonas sexuales y causar desequilibrios entre diversas hormonas.

3. Disminución de la tolerancia a la galactosa (un azúcar de la leche).

4. Disminución en la oxidación de aminas que puede conducir a proporciones anormales de importantes sustancias químicas del cerebro.

5. Aumento en los depósitos grasos.

6. Inhibición de la formación de azúcar en sangre mediante gluconeogénesis con lo que disminuyen las reservas de energía del cuerpo y el cerebro.

7. Cambios en la producción de energía de las células.

8. Elevación de la concentración de ácido úrico.

9. Disminución de la síntesis de proteínas que puede volver lentos los mecanismos de reparación del cuerpo.

10. Retención de proteínas y grasa en el hígado.
11. Depresión de glutatión, un compuesto antioxidante necesario para eliminar los radicales libres.
12. La estimulación del metabolismo del alcohol en el hígado (retículo endoplasmático liso) de manera que, por un tiempo, una persona parece que puede controlar el alcohol.

Efectos psicológicos

El alcohol embota el dolor y deprime los centros en el cerebro que son responsables de controlar la conducta. Reduce las inhibiciones de manera que ya no nos sentimos ansiosos, culpables o tontos cuando nos comportamos en una forma extravagante. Otro efecto común del alcohol es hacer que la gente se deprima. Los efectos psicológicos del alcohol son muy diversos y dependen, en gran medida, del individuo.

Alcohol y nutrición

¿Es verdad que el alcohol es bueno para la digestión? ¡Sí y no! El alcohol tiende a inhibir algunas enzimas para la descomposición del alimento pero, si se toma con moderación o diluido, puede estimular la secreción de jugos gástricos que ayudan a la digestión de las proteínas. Sin embargo, para lograr ese efecto no necesaria-

---

ALCOHOLISMO Y HERENCIA

Ahora tenemos buena evidencia de que existe un fuerte factor de herencia en el alcoholismo y que una sustancia adictiva que en realidad se produce en el cerebro de personas que beben con regularidad.

Los estudios muestran que cuando otras familias adoptan a hijos de alcohólicos, es tan probable que se vuelvan alcohólicos como los criados por padres biológicos. En otras palabras, parece que la naturaleza puede ser más fuerte que la educación.

mente tienen que beber alcohol, sólo el aroma o incluso algunos gases pondrán a moverse los jugos digestivos.

Los cambios bioquímicos, que varían de individuo en individuo, dictan con exactitud qué tipo de efecto tendrá en ti. Si eres el tipo que se pone un poco ansioso después de beber, la forma más fácil de evitar que suceda es tomar algo de calcio con el estómago vacío con bastante anticipación a que empieces a beber, y luego un poco más mientras bebes.

Si tiendes a deprimirte un poco cuando bebes, toma algo de vitamina C y un poco de zinc, en forma de polvo. Te ayudarán a acelerar la descomposición del alcohol. Otra forma de ayudar a tu cuerpo a liberarse del alcohol un poco más rápido es beber grandes cantidades de azúcar de frutas (fructuosa). Por supuesto, la mejor manera es con jugos de fruta.

Desde luego que puedes tomar algo que reduzca tu deseo de beber. Se ha informado que lo hace la vitamina B_3, como niacina o ácido nicotínico. Por favor, date cuenta que la vitamina B_3 puede causar un severo efecto de rubor. Aunque en sí no es dañino, puede asustarte. Algunas personas pueden tener una erupción severa de la piel después de ingerir niacina y, de ser así, deberían evitarla. Otro nutriente que se dice que disminuye el deseo de alcohol y que te ayuda a mantenerte sobrio es el ácido glutámico, un aminoácido común.

Se dice que el controvertido complemento, la vitamina B_{15} (ácido pangámico) disminuye o incluso invierte algunos de los efectos

---

ALERGIAS Y ALCOHOL

Si eres alérgico a algunos alimentos y tomas una dieta especial, recuerda que las bebidas alcohólicas se encuentran en tres categorías: licores, vinos y cervezas.

Los licores son una fermentación de trigo, cebada o papas, los vinos se hacen con uvas que no necesitan que se les añada levadura ya que su cáscara tiene levadura natural y las cervezas se hacen con cebada y levadura, con o sin lúpulo.

del alcohol en el hígado. Los rusos lo han usado por años y le tienen fe ciega.

La resaca

Si eres sólo un bebedor moderado, una sesión de media docena de bebidas puede causarte un momento desagradable la mañana siguiente. Los síntomas de resaca varían mucho entre los individuos pero pueden ser algunos de los siguientes: vómito, pérdida del apetito, dolor de cabeza, insomnio, cansancio, pérdida del equilibrio y la coordinación, sed y una sensación de que tus músculos y articulaciones no están a la altura del trabajo de sostenerte y llevarte a cualquier lugar más allá del sillón más próximo. Las razones para esto son:

- Has bebido más de lo que tu hígado ha podido manejar y eliminar, y el alcohol extra todavía circula en tu sangre.
- El alcohol bloquea las señales de tensión de manera que el cerebro "despierta" en la mañana y comienza a recibir todas las señales de tensión al mismo tiempo. Le resulta difícil enfrentar tanto de manera tan repentina.

Aunque algunas personas tienen dolor de cabeza por beber cualquier cantidad de alcohol, son ciertos vinos, en especial los tintos, que parecen afectar a personas con más frecuencias que otros. Contienen histamina y esta sustancia puede causar dolor de cabeza en personas susceptibles. Algunos investigadores creen que es más probable que los taninos (que dan a los vinos su cuerpo y propiedades astringentes) sean los culpables. El bióxido de azufre, que se emplea como aditivo y conservador, también puede ser responsable ya que puede causar constricción bronquial. ¡Con seguridad es poco saludable para asmáticos!

En fechas más recientes, se ha descubierto que las sustancias llamadas congeners, que proporcionan la mayor parte del sabor, olor y color de las diferentes bebidas, pueden ser un factor importante en los dolores de cabeza relacionados con el alcohol. Los congeners se hacen con alcohol de madera y fuel, ambos muy tóxicos en cantidades relativamente pequeñas. Pueden causar ceguera y agrandar las arterias del cerebro en forma muy similar a como se dice que lo hacen las histaminas. El vodka es una bebida que tiene pocos congeners mientras que wiskey, brandy y vinos tintos tienen un alto contenido de congeners.

Mezclar bebidas (¡siempre hay algo de verdad científica en los cuentos de viejas!) equivale a mezclar y aumentar los congeners totales. En consecuencia, las resacas tienden a ser más temibles cuando los cocteles se vuelven más exóticos. Por lo tanto, si pasas una gran noche fuera y pruebas un poco de ese delicado vino blanco, algo de ese vigoroso vino tinto, además de un poco de coctel antes de la cena, y brandy después de cenar, lo más probable es que la resaca será peor que si te mantienes en un tipo de bebida. Una de las soluciones para reducir las resacas es beber la misma bebida y escoger los que son bajos en congeners… por lo general tienen menos aroma.

Sed La sed es un resultado común de beber. Sin embargo, la causa no es deshidratación sino un reacomodo poco saludable de los fluidos del cuerpo. El alcohol causa que el agua salga de las células y pase al fluido extracelular con lo que causa que estés sediento y causes alguna presión extra en la cabeza. Este fenómeno también causa que tus ojos se pongan rojos e inyectados en sangre en la mañana.

Sueño El alcohol interfiere con el sueño REM (movimiento rápido de los ojos) que es esencial para que el periodo de recuperación tenga un efecto positivo. Sin una cantidad razonable de sueño REM, la persona tiende a estar cansada, irritable y ansiosa.

Una de las medidas preventivas más simples para los bebedores es tomar una tableta de multiminerales y multivitaminas además de algo de vitamina B_1 (tiamina) todos los días. De acuerdo a un neurólogo de alto nivel que es la autoridad mundial de los efectos del alcohol en el cerebro, el profesor Byron Kakulas, director del Departamento de Neuropatología del Hospital Real de Perth, en Australia, "muchos de los efectos del alcohol se pueden anular tomando unas vitaminas, en especial tiamina, que de inmediato reduce uno de los trastornos mentales orgánicos más comunes que se asocian al alcohol".

Cómo disminuir los efectos de las resacas

- El alcohol es un diurético, así que bebe muchos líquidos antes y después de beber.
- Bebe algunos jugos de frutas ya que ayudará a tu hígado sobrecargado a metabolizar un poco más rápido el acetaldehído.
- Toma un poco de vitaminas del complejo B, tal vez con un poco de antiácido.
- Come antes y mientras bebes ya que esto reduce la absorción del alcohol. Leche, grasas y aceites recubren el estómago mientras que los almidones absorben algo del alcohol.
- Toma algo de vitamina C ya que no sólo ayuda a absorber el alcohol, sino que también ayuda al hígado a descomponer el alcohol.
- Evita beber varios tipos diferentes de alcohol o bebidas alcohólicas que tengan cantidades elevadas de congeners.
- Quédate despierto un par de horas después de que termines de beber y duerme hasta tarde.
- De acuerdo a investigación en Estados Unidos, se dice que el aceite de hierba de asno previene y cura las resacas.

Cómo romper el ciclo del alcohol

Terapia de drogas

Se ha sugerido el propranolol, un bloqueador beta empleado en el tratamiento de presión sanguínea alta y ansiedad, como medicamento apropiado para los alcohólicos. Cuando se toma junto con alcohol, el propranolol parece bloquear los efectos de alteración del estado de ánimo del licor.

Como la mayoría de las personas bebe esperando un cambio en la forma en que se siente, puede reducir o detener su consumo de alcohol cuando no ocurra ese cambio. También es posible que los efectos de reducción de la ansiedad de la droga pueda tener un papel vital, ya que muchas personas sospechan que es uno de los factores que impulsa a beber a la gente por principio de cuentas.

Como sea, parece que una cantidad considerable de evidencias sugieren que la forma empleada de tratamiento no afecta significativamente el resultado del tratamiento del alcoholismo. Un estudio global estadunidense, llamado el informe Rand (*New Scientist*, diciembre de 1983, pág. 749) concluyó que:

> Tal vez el hallazgo más importante... es que existen pocas diferencias notables entre las tasas de remisión para diversos tipos de tratamiento. Sin importar el marco en que se lleve a cabo el tratamiento, las remisiones parecen ser muy uniformes, fluctuando en un 100 por ciento en la mayoría... a pesar de las diferencias manifiestas en filosofía, organización y procedimientos de tratamiento en los centros de muestra.

Sin embargo, algunas formas de tratamiento que el informe Rand no abarcó exigen algo de atención.

Complementos nutricionales

Niacina

Russell Smith es un médico estadunidense que ha participado en el tratamiento de alcohólicos en hospitales de Estados Unidos desde la década de 1940. En 1973, y de nuevo en 1978, completó e informó (*Journal of Orthomolecular Psychiatry*, 1978, Vol. 7, No. 1, pág. 53) los resultados de un estudio de cinco años con quinientos alcohólicos diagnosticados, a los que se trató con grandes dosis de vitamina B_3 en forma de ácido nicotínico (niacina):

> La nicotinamida (otra forma de vitamina B_3) demostró no tener valor alguno para los alcohólicos, lo que sugiere tal vez

otro mecanismo de acción. El ácido nicotínico mejoró los patrones de sueño, la estabilidad del estado de ánimo y el funcionamiento general en 60 por ciento del grupo de prueba que mostraba los síntomas orgánicos más serios de la enfermedad. El ácido nicotínico redujo en forma significativa la tolerancia adquirida al alcohol y pareció reducir el proceso del síndrome de cerebro tóxico agudo mientras que casi eliminaba el "síndrome de borracho seco"; episodios maniacos hiperexcitables y depresión grave y potencialmente suicida.

El ácido nicotínico cruza la barrera hematoencefálica con facilidad y tiende a inhibir la triptamina mientras reduce la concentración de serotonina y dopamina. Se ha asociado la concentración elevada en el cerebro de estas dos sustancias químicas con trastornos psiquiátricos y anormalidades conductuales.

El ácido nicotínico también puede reprimir la concentración de noradrenalina pero, lo que es más importante, Smith sugiere que el ácido nicotínico puede estimular la histamina y actuar como control de las catecolaminas del cerebro en general. La histamina misma tiende a inhibir las reacciones de la monoamina oxidasa, factor que podría explicar sus propiedades de elevación del estado de ánimo y su actividad antidepresiva. He usado la terapia de niacina como parte de mi tratamiento de los alcohólicos con considerable éxito.

Histamina, vitaminas, minerales y manipulaciones de la dieta

El doctor Oscar Kruesi, del Instituto Huxley para Investigación Biosocial, en Nueva York, ha preparado otro enfoque al alcoholis-

---

TOMAR UNA COPA MÁS

¿Tomar una copa más ayuda en las resacas? Tomar una bebida la mañana siguiente ayudará a la resaca ya que las enzimas de metanol prefieren el etanol. Así que una bebida más desviará su atención, por así decirlo, del metanol y se producirán menos de sus desagradables subproductos... al menos por un tiempo.

mo que se basa en regular la concentración de histamina con vitaminas, minerales y manipulaciones de la dieta.

Por algún tiempo hemos sabido que la histamina puede ser un neurotransmisor: dos de los principales expertos del mundo en bioquímica del cerebro, Zinder y Axelford, afirman que lo es, pero tuvimos que esperar al doctor Carl Pfeiffer, del Instituto Neuropsiquiátrico de Nueva Jersey, para que confirmara este hecho en la década de 1970.

En el cuerpo humano existen dos receptores separados para la histamina: H_1 y H_2. H_1 se relaciona con las bien determinadas respuestas alérgicas y H_2 es un receptor de histamina del cerebro (*Nature*, 1982, Vol. 272, pág. 329).

Pfeiffer descubrió que existen dos grupos de alcohólicos que tienen concentraciones muy altas o muy bajas de histamina. En el tratamiento del alcoholismo es muy importante saber a cuál grupo pertenece el paciente. Para información sobre las concentraciones altas y bajas de histamina, ver la página 42.

Alcohol y su efecto en el cerebro

La doctora Jean Lennane, anterior directora de Servicios de Drogas y Alcohol, en el hospital psiquiátrico Rozelle y Gladesville, en Australia, llevó a cabo investigación de la extensión del daño cerebral relacionado con el alcohol en personas que lo consumen con regularidad.

En 1983, el *Sun Herald*, informó que "los australianos consumen en promedio 2.4 bebidas por hombre, mujer y niño todos los días de su vida". La doctora Lennane calcula que considerando que los niños por lo general no beben y que 15 por ciento de los adultos es abstemio, el resto debe beber mucho más que 2.4 vasos.

Se valoraron doscientos casos hasta abril de 1983 y el caso más joven de que se informó fue un periodista de 34 años de edad que después de beber cuatro bebidas por día durante diez años y una gran borrachera final, terminó en el hospital con daño del lóbulo frontal severo y deterioro de la memoria. La condición de este paciente es irreversible.

La doctora Lennane es cuidadosa con sus declaraciones: "No todos los bebedores sociales sufrirán daño cerebral. Algunas personas son más tolerantes que otras. El daño es que todavía no sabemos quién está en riesgo". A menudo, no es el alcohólico o el marginado de los barrios bajos del que nos deberíamos preocupar sino de la persona ordinaria que consume constantemente alcohol todos los días.

ALCOHOL Y OSTEOPOROSIS

Es diez veces más probable que las mujeres que beben grandes cantidades de alcohol presenten osteoporosis. Los complementos de calcio no serán de ayuda si bebes más de una botella de cerveza por día, o su equivalente, de acuerdo al doctor Richard Evans, de la Unidad Metabólica del Hospital Concord, en Sydney.

La doctora Lennane sugiere que cualquiera que tome ocho o más bebidas por día debería recibir una valoración de su habilidad para funcionar de manera normal.

Pérdida de la adaptabilidad

El alcohol a menudo afecta los lóbulos frontales del cerebro. En el peor caso, las personas afectadas por el alcohol tienen muchas dificultades para organizar tareas simples, o falta de incentivo para hacer algo. En el mejor caso, disminuyen sus destrezas de organización, las cuales dependen de los lóbulos frontales.

El daño de los lóbulos frontales es insidioso ya que la gente todavía retiene su inteligencia normal pero pierde la habilidad para determinar si tiene un problema o no... ya no digamos hacer algo al respecto. Muchas personas no se dan cuenta de esto hasta

> ## Alcohol, la droga
>
> El alcohol es una droga en todo el sentido de la palabra. De hecho, es una droga que altera el estado de ánimo con profundos efectos a corto y largo plazo en casi todas las partes del cuerpo humano y la mayoría de las facetas de la fisiología humana, en particular en la bioquímica del cerebro. Si el alcohol se descubriera hoy y una compañía farmacéutica lo tratara de comercializar, ¡dudo que se permitiera sin una receta médica!

que se les presenta un nuevo conjunto de problemas que exijan la habilidad para ajustarse.

El bebedor habitual pierde la capacidad para adaptarse. Una cantidad tan pequeña como dos bebidas por día durante algunos años pueden causar deterioro crónico de la inteligencia. Beber puede causar que el cerebro en realidad se encoja por muerte celular. Esto tiene como resultado pérdida de la memoria, disminución de la inteligencia, deterioro del pensamiento y alteraciones de la personalidad.

Deterioro de la inteligencia

Una característica de la inteligencia que puede sufrir como resultado del consumo crónico de alcohol, tal vez incluso a niveles moderados o de "bebedor social", es la inteligencia cristalizada. Se define como la habilidad para usar un conjunto acumulado de información general para tomar decisiones y resolver problemas.

En términos prácticos, la inteligencia cristalizada es la que se usa para comprender las diversas facetas de una discusión, el significado real de los editoriales de los periódicos o al manejar problemas para los que no existen respuestas claras sino sólo mejores o peores opciones. Sin embargo, para el momento en que se llega a esa etapa, por lo general es demasiado tarde para la recuperación total.

Algunos de los beneficios del alcohol

Estudios estadísticos han mostrado que los bebedores moderados tienden a vivir un poco más que los abstemios, más que los
ex bebedores y más que las personas que beben más de tres o
cuatro bebidas por día.

- Beber con las comidas parece ayudar a la digestión. Tal vez el
  alcohol estimula las enzimas que fragmentan las proteínas.
  También podría poner al bebedor de buen estado de ánimo,
  algo que en sí favorece la asimilación apropiada de los alimentos, una mayor resistencia inmune y mejor circulación de la
  sangre.

- Se descubrió que la presión sanguínea es más baja en personas que beben tres o menos bebidas por día. Sin embargo,
  aumenta en forma progresiva con cada bebida extra y casi se
  duplica con seis o más bebidas por día.

- La clave para minimizar los efectos negativos de beber parecen ser beber con las comidas, y luego, beber sólo con moderación... no más de dos o tres vasos de vino por día.

12

La química del amor

Existe el sexo y existe el amor, y existe amor sin sexo y sexo sin amor, además de amor sexual. Todos saben lo que significa ser "ciego a los colores" y puede sorprenderte que haya una enfermedad que causa que algunas personas sean "ciegas al amor".

Estas personas son normales en todo aspecto: pueden ser individuos muy amistosos, sociables, que a menudo tienen relaciones muy estrechas con miembros del sexo opuesto, e incluso se pueden casar, pero no pueden experimentar el intenso sentimiento de la pasión conocido como "estar enamorado" más de lo que una persona ciega a los colores puede discernir los brillantes tonos y colores de una colorida pintura.

Mientras la humanidad se aleja de su poético y religioso pasado hacia el futuro robótico del siglo XXI, estamos descubriendo que la ceguera al amor es sólo uno de los muchos problemas psicosexuales que surgen, al menos en parte, de fluctuaciones y desequilibrios neuroendocrinológicos. Pérdida de la libido, ansiedad de la separación, disforia histeroide, amor delirante e infatuación obsesiva son algunas de las nuevas etiquetas que se cree que están muy vinculadas con la bioquímica dañada del cerebro de algunas relaciones interpersonales.

Estar enamorado es una de las experiencias personales más intensas posibles y, como la mayoría de nuestros estados de ánimo, existen algunos cambios químicos en nuestros cerebros que se le asocian. Cualquiera que alguna vez haya estado enamorado sabe que es un estado que de alguna forma nos recuerda locura, hiperactividad y alucinación.

De acuerdo al doctor Michael Liebowitz, neurofisiólogo de la Universidad Columbia, en Nueva York, existen tres tipos básicos de amor:

1. Existe el tipo de adrenalina que se caracteriza por la búsqueda orgásmica y hedonista de la excitación sexual y su satisfacción.

2. Existe el amor romántico en que el cerebro fabrica grandes cantidades de un grupo de sustancias químicas llamadas "encefalinas" que pueden reducir la sensación de dolor, pero que también pueden ser responsables de alucinaciones, delirios y una notable incapacidad para pensar con claridad.

3. Existe el "amor marital", que se cree se asocia a una mayor producción de opiatos naturales (un grupo de sustancias semejantes a la morfina que embotan los sentidos) en el cerebro.

Los opiatos naturales del cerebro

Cuando estás enamorado, te sientes "elevado" y tal vez hayas notado la semejanza de los síntomas de abstinencia que se asocian con el rompimiento de relaciones y los que producen la abstinencia de anfetaminas.

Una de las razones para esto es que un cerebro "enamorado" fabrica más fenilalanina, una sustancia química que se produce a partir de un aminoácido común y cotidiano que se encuentra en muchos alimentos. En cuanto un romance empieza a agriarse, el cerebro detiene o reduce drásticamente su producción de fenilalanina y la persona empieza a sufrir síntomas de abstinencia.

El doctor Donald Lein y el doctor Michael Leibowitz llevaron a cabo un estudio profundo de tales personas y descubrieron que una cifra considerable tendía a comer chocolate en exceso en cuanto empezaban a sufrir algo de la depresión que se asocia con el rompimiento de la relación. ¿Por qué chocolate? Porque esta delicia gastronómicas se extrae de las semillas de *Theobroma cacao* (que literalmente significa "alimento de los dioses") y su principal componente, la teobromina, es un estimulante. También es rico en fenilalanina.

El cerebro también emplea fenilalanina para hacer norepinefrina (noradrenalina) y para reducir la descomposición de los opiatos naturales (endorfinas y encefalinas) que son responsables, entre otras funciones, de reducir la sensación de dolor. Un aumento en la ingestión de fenilalanina puede tener como resultado concentraciones más elevadas de endorfinas en el cerebro y, por lo tanto, una menor sensibilidad al dolor. Así que parece razonable que la fenilalanina podría ser útil como un tipo de analgésico o antidepresivo "natural".

Alimentos que contienen fenilalanina

aguacate	jitomate
almendras	leche
betabel	manzana
cacahuates	perejil
carne de res	pescado (arenque)
chocolate	piña
espinaca	plátano
frijol de soya	pollo
frijoles en salsa de jitomate	proteínas de soya
huevo	queso cottage
	zanahoria

El dolor de estar enamorado, si el amor no es recíproco o si termina la relación, puede debilitar tanto como cualquier enfermedad psiquiátrica y bien podría ser que los amantes emplearan la fenilalanina o el chocolate para reducir la intensidad de su enamoramiento.

Estimulación de hormonas

El hipotálamo está encargado de nuestra conducta en general y nuestras tendencias sexuales en particular. Esta pequeña porción del cerebro –que también se conoce como un "transductor neuroendócrino"–, convierte las señales que llegan de los medios ambientes externo e interno en sustancias químicas especiales conocidas como "factores de liberación", que son un tipo de hormona. Éstos, a su vez, viajan a la glándula pituitaria y causan que libere sus diversas hormonas, las cuales entonces circulan para llegar a las diversas glándulas endócrinas que, con esta estimulación, empiezan a producir sus hormonas.

En términos simples, cuando un hombre mira a los ojos de la mujer que ama, lo que ve se cambia primero de impulsos de luz a pulsos eléctricos. Estos recorren los nervios ópticos y llegan al cerebro, donde de nuevo se transforman en el hipocampo en factores de liberación que al final causan que las hormonas suprarrenales hagan que su corazón lata más rápido. Esto puede suceder también con la estimulación olfatoria de las sutiles, y a menudo apenas discernibles, feromonas. Aunque no se reconoce la influencia de los aromas en la conducta sexual en el nivel consciente, otros estimulantes pueden producir efectos dramáticos y bien podría ser que las personas con bloqueos en uno de estos circuitos resulte ser ciego al amor.

Las personas que tienen disminución de la función de la pituitaria (hipopituitarismo) a menudo tienen problemas con sus sentimientos. Sin embargo, en asuntos sexuales, es el hipotálamo el que envía los factores de liberación de la hormona luteinizante a la pituitaria que a su vez vierte dos hormonas separadas, hormona de estimulación del folículo y hormona luteinizante. La hormona luteinizante instruye a los testículos para comenzar a producir espermatozoides y la hormona lutenizante es responsable de la producción de testosterona... la hormona sexual masculina.

Aunque podría parecer que el hipotálamo es responsable de dar energía a los encuentros sexuales, tal vez sean los opiatos propios del cerebro (fenilalanina) los que podrían ser responsables de mantener juntas las parejas.

Las personas podrían aferrarse desesperadamente a su pareja para mantener su producción de fenilalanina y así evitar la abstinencia. ¡Tal vez sin quererlo emplean a su pareja como regulador del estado de ánimo!

Sin embargo, como todo, un exceso puede ser dañino y las cantidades excesivas de los opiatos propios del cerebro pueden causar que la gente se vuelva insensible o esté embotado a la interacción física o emocional.

ADICCIÓN AL CHOCOLATE

Es tan agradable la estimulación del chocolate que algunas personas lo emplean casi como una droga. Durante el siglo XVI, el gobierno español, bajo la presión de la Iglesia que desaprobaba que cualquiera se "estimulara", prohibió el chocolate, ¡ya que afirmaba que era "una bebida del diablo"!

Como las prohibiciones de todas las sustancias que alteran el estado de ánimo que se han descubierto, el único efecto fue diseminar más su uso y volverlo deseable y costoso.

En los antiguos mercados de México, el chocolate se empleaba de hecho como moneda. Los cortesanos de Luis XV lo empleaban como estimulante sexual y en fechas más recientes, la revista *Cosmopolitan* lo clasificó entre los diez afrodisiacos más importantes.

Sin embargo, en un sentido se puede considerar droga al chocolate y, como todas las drogas, puede causar adicción si se toma con demasiada frecuencia. Por supuesto, causa la depresión de la abstinencia cuando no se tiene al alcance.

Afrodisiacos

La búsqueda de la humanidad de afrodisiacos ha causado que las personas se envuelvan en ropas coloridas y aromas exóticos. Han comido todo lo que se parezca remotamente a un órgano sexual (plátanos, ostras y cuerno de rinoceronte) además de los verdaderos órganos sexuales de los animales.

Se ha llamado al factor de liberación de la hormona luteinizante el "máximo afrodisiaco". Sucedió después de informes de que sus efectos son muy específicos para la conducta sexual. Robert Moss, profesor de Fisiología en el Centro de Ciencias de la Universidad de Texas, en Dallas, informó que parece mejorar el funcionamiento sexual de algunos hombres impotentes.

También se ha probado el factor de liberación de la hormona luteinizante como anticonceptivo para hombres y mujeres y se descubrió que mientras aumenta la libido femenina, pueden haber algunos casos en que es cierto lo contrario para los hombres.

La dopamina, un neurotransmisor que está involucrado en parte con el sexo, se hace a partir de tirosina, un aminoácido común que en la actualidad está disponible como complemento de la comida. Sin embargo, demasiada dopamina puede ser responsable de ciertas enfermedades mentales.

La serotonina, que se hace con triptofano, excita a la mujer pero puede deprimir su impulso sexual. Huevos, lecitina y colina, con la ayuda de vitamina B_1, pueden ayudar a la síntesis de acetilcolina e investigadores de la Universidad de Tulane, en Nueva Orleáns, afirman que la acetilcolina puede tener efectos drásticos en la conducta sexual humana.

Mientras tanto, los que quieren ser Romeos, pueden probar en la frutería local. Mientras diversos fabricantes de perfumes han tratado desesperadamente de encontrar un aroma atractor del sexo, el afrodisiaco de atomizador, los investigadores han estado examinando la androsterona, una potente hormona masculina que se dice atrae a las mujeres más rápido que un flamante Porsche rojo.

La humilde verdura, apio, parece contener algo de aldosterona y se libera en la transpiración después de la digestión. Me dicen que la gente lo encuentra irresistible, aunque no se nota conscientemente y no estoy seguro si tu pareja querrá abrazarte o mordisquearte después de hartarte de apio, ¡pero bien podría ser una alternativa más sana y sexy para los costosos perfumes!

Impreso en los talleres de
Trabajos Manuales Escolares,
Oriente 142 No. 216
Col. Moctezuma 2a. Secc.
Tels. 5 784.18.11 y 5 784.11.44
México, D.F.